I0590818

Hockeyteam
de sterren

Hockeyteam de sterren

Marlies Slegers

Nur 283/GGP091001

Omslagontwerp: Tamar de Klijn

Opmaak binnenwerk: Marieke Brakkee

BIJ KONINKLIJKE BESCHIKKING
HOFLEVERANCIER

www.kluitman.nl

1

'Kom op, Florine. Heb je je bitje nou al warm gemaakt? En is je sticktas ingepakt?' Florines vader dronk snel zijn koffie op. Hij legde de krant weg en schoof zijn stoel achteruit.

Florine stond voor de spiegel te treuzelen. Het blauwe shirt kwam net uit de was, net als het zwarte rokje en de lichtblauwe sokken. Alles rook heerlijk fris. Ze trok haar haren naar achteren in een hoge staart. Met haar vrije hand duwde ze Bryson, de labrador, aan de kant.

'Niet nu, Bryson. Ik moet weg en als je tegen me opspringt, blijven je nagels in mijn rok hangen.'

Haar vader liep de gang in. 'En je weet het, goed op de mandekking letten deze keer. Die was vorige week waardeloos! Misschien moet Julia vandaag de eerste helft maar even uitzitten, onbegrijpelijk dat zij in jullie team zit. Ze speelt veel te veel voor zichzelf, iemand moet haar toch echt eens vertellen dat het een teamsport is! Luister, je stick goed dicht bij de grond houden, ik zag dat je 'm vorige week iets te vaak hoog had, waardoor je niet op tijd bij de bal kon. Altijd laag aan de grond, weet je nog? Jullie mogen nog niet hoog, behalve bij een vrije baan. Dus hou hem maar gewoon laag.'

Florine zuchtte. 'Ja pap, dat weet ik... dat zeg je iedere week...'

'Ja jongedame, als je er nu ook eens wat van opstak, dan zou ik het niet iedere week hoeven zeggen. Ongelooflijk! Je zou toch verwachten dat je iets van onze hockeygenen meegekregen hebt! Onze hele familie is al generaties lang goed in hockey. Kijk maar naar je zus, die is gescout voor Jong Oranje! Ze mag een seizoen meetrainen om te kijken of ze goed genoeg is. Ik mag toch aannemen dat jij net zulke ambities hebt!'

Florine beet op haar lip. Altijd maar weer hetzelfde verhaal. Haar opa was een tophockeyer geweest, haar ouders hadden beiden op hoog niveau gespeeld en haar zus Harriët was al 'de nieuwe ontdekking op hockeygebied' genoemd, een 'veelbelovend talent, van wie we nog veel gaan horen!' Als het meezat, kon Harry, zoals Florine haar noemde, zich misschien wel plaatsen voor de Olympische Spelen in 2012, in Londen. En Florine...

Tja. Florine.

Ooit had ze hockey de allerleukste sport ter wereld gevonden. Lekker in de buitenlucht rennen over het veld, haar teamgenootjes de bal aanspelen. Er was niets zo geweldig geweest als een doelpunt maken! En daarna gezellig met de anderen in de kantine napraten over de wedstrijd. Tot en met de zestallen was hockey het hélemaal voor haar. Maar toen ze eenmaal in de achttallen kwam, vond ze het opeens een stuk minder leuk. Toen waren haar ouders steeds meer druk op haar gaan leggen om vooral de beste van het team te zijn. En dat, dacht Florine sip, was ze niet. Keer op keer hamerden haar ouders erop dat ze toch echt beter moest gaan spelen. Zo was alle lol er voor haar langzaam af gegaan. Eigenlijk had ze nu liever op jazzdans gezeten. Of op tennis. Of op voetbal. Of op duimworstelen. In ieder geval op iets wat niets met hockey te maken had. Maar dat was in het gezin Van Senhoven ondenkbaar – dat je niets met hockey zou hebben. Haar vader zat in het bestuur van Sterrenhout, de vereniging waar Florine bij zat. Haar moeder was trainster van de benjamins, de allerkleinsten. Haar zus was al drie keer genomineerd voor speelster van het jaar. Florine was toen ze net vier werd met een hockeystick in haar hand op het veld gezet.

'Ah, een nieuwe Van Senhoven! Nou, dat belooft wat!' had de toenmalige trainster gezegd. 'Als ze maar de helft van het talent van Harriët heeft, wordt het een topper!'

Nou, ze had nog niet een tiende van Harriëts talent. En toen ze eenmaal in achttallen moest gaan spelen, was pijnlijk duidelijk geworden dat Florine van Senhoven een hele leuke, maar middelmatige speelster was en geen toptalent, tot grote teleurstelling van haar ouders. Die deden niets liever dan haar spel analyseren en haar ongevraagd van honderd en één tips voorzien voor iedere wedstrijd. Het leek aan de eettafel soms wel een aflevering van *Studio Sport.* Nijdig wikkelde ze een elastiek om haar haren. Ze miste bijna de helft van de ballen, ze maakte zelden een doelpunt en als ze keeper was, liet ze geregeld alle ballen van de tegenstanders door.

Niemand zei er echter wat van, omdat gewoon niemand kon geloven dat een Van Senhoven niet goed zou kunnen hockeyen. En omdat haar vader bestuurslid was, plus ook nog eens een van de sponsors. Hij verzorgde voor het achttal van Florine en het elftal van Harriët alle kleding en had beide teams twee jaar geleden als verrassing sticks gegeven – met hun eigen naam erop! Alle meiden waren door het dolle heen geweest, en niemand had het meer over de 2-6 waarmee ze verloren hadden omdat Florine de eerste helft keepte en vijf aanvallen van de tegenpartij niet had weten te stoppen. En dat was nog wel van aartsvijand Greenfields geweest.

Haar moeder kwam de trap af. 'Schat, denk je aan je scheenbeschermers?'

Florine wees op haar benen. 'Al aan.'

'Ik moet opschieten. De kleintjes staan anders te wachten.' Ze liep naar de kapstok en pakte haar jas.

'Mam, denk je eraan dat ik vanmiddag naar dat feest bij Sanne ga? Heb je nog een cadeautje gekocht?'

'O! Nee, helemaal vergeten! En ik heb er ook geen tijd voor vandaag, lieverd. Na de benjamintraining gaan papa en ik naar de wedstrijd van Harriët kijken en daarna zouden we in het clubhuis wat gaan borrelen met Simon en Karin. Weet je wat?' Ze rommelde in haar tas. 'Hier heb je tien euro, koop zelf maar iets. Nou, zet 'm op! Scoor ze en tot later. En je weet: winnen is belangrijker dan meedoen! Alleen verliezers roepen dat het niet om de overwinning gaat.' Ze zoende Florine op haar wang en verdween door de voordeur. 'Vergeet je bitje niet! O, en trouwens, we willen morgen even met je praten. We hebben een verrassing,' riep ze nog, net voordat ze in haar auto stapte.

Florine zuchtte nog een keer. Een verrassing. Zeker een extra training in techniek. Iets met hockey. Vast. Ze bukte, pakte haar sticktas en keek nog een keer in de spiegel, naar Florine van Senhoven, de niet-hockeytopper van het gezin. Ze stak haar tong uit.

'Mam!' Julia graaide in de wasmand met vuil wasgoed. 'Mijn shirt is nog niet gewassen! Gatver! Er lagen sokken van Nick op. Bah, dat is zo... ranzig!' Julia hield het gekreukte blauwe shirt omhoog en rook eraan. Ze rimpelde haar neus.

'O? Ja, sorry hoor, geen tijd voor gehad.' Haar moeder liep in haar badjas door het huis. 'Is je broer nou al op? Hij moet over een uur naar voetbal. Ik zal wel even een paar boterhammen voor hem smeren. Maak jij hem wakker?'

Julia zuchtte. Tuurlijk. Nick kreeg wel aandacht. Want Nick was mama's oogappel, na paps dood. Hij was mams steun en toeverlaat.

Ze gooide zijn deur open en duwde ruw tegen de slapende vorm in het bed: haar twee jaar oudere broer. Topscorer van zijn team, VV Bal '66.

'Opstaan, wrattenzwijn.' Zonder omhaal trok ze de gordijnen open, waarop haar broer onmiddellijk met zijn hoofd onder het dekbed dook.

'Jee Juul, fijn. Kan dat gordijn weer dicht? Het licht doet pijn aan m'n ogen!'

'Nee, dat kan niet. Je moet opstaan. Over een uur word je op het voetbalveld verwacht.'

Julia verdween uit zijn kamer en botste in de gang bijna tegen Vlinder op, haar jongere zusje.

'Moet je vandaag spelen, Juul?' Vlinder keek haar aan met een duim in haar mond.

'Het is zaterdag, ik moet iedere zaterdag spelen,' bitste ze. 'En doe die duim uit je mond, je bent al vijf!' Vlinder keek beteuterd en Julia had meteen spijt van haar toon.

Zonder nog iets te zeggen draaide Vlinder zich om en verdween in Nicks kamer.

'Hé, daar hebben we mijn favoriete insect!' hoorde Julia haar broer zeggen. Ze wendde zich af en liep haar eigen kamer in. Harder dan de bedoeling was, smeet ze de deur dicht.

Ze liep naar de spiegel en keek zichzelf nijdig aan. Blond half-lang haar, felle groene ogen en een paar sproeten onder haar boze frons. Hoe kon het toch dat ze in dit gezin geboren was? En hoe oud moest je eigenlijk zijn om op jezelf te gaan wonen? Ze had zich altijd al een buitenbeentje gevoeld, maar haar vader was haar bondgenoot geweest. Hij had haar begrepen. Hij was degene die haar 's nachts wakker maakte om naar de sterren te kijken, of die haar meenam om te gaan vissen om vijf uur 's ochtends. Hij was degene die had geknipoogd als mam weer eens tegen haar uitviel over de troep in haar kamer.

Toen hij vorig jaar, na een stom auto-ongeluk, dood was gegaan, had ze zich radeloos en eenzaam gevoeld. En dat gevoel was nog niet gesleten. Alles was veranderd. Mam moest opeens rondkomen van haar eigen salaris en dat bleek moeilijk te zijn. Alle extraatjes, zoals mam het noemde, werden geschrapt. Geen vakantie. Geen nieuwe kleding – 'niets mis met tweedehands!' zei mam – en geen dure hobby's. Mam had zelfs al eens laten vallen dat Julia's hockey toch wel erg veel geld kostte. En dat ze niet zeker wist of ze dat nog kon betalen.

Maar hockey was het enige waar Julia écht goed in was en waarbij ze even kon vergeten dat ze zich eenzaam en radeloos voelde. Op het hockeyveld leek het alsof ze precies wist wat ze moest doen, alsof ze sterker was dan ieder ander. Bovendien: haar vader was altijd haar grootste supporter geweest.

'En Nicks voetbal dan? Dat is toch ook duur?' Maar mam had uitgelegd dat de voetbalcontributie een kwart van de hockeycontributie was en dat de kleding voor voetbal een stuk goedkoper was dan voor hockey. 'Hij heeft alleen ieder seizoen nieuwe schoenen nodig. Jij hebt schoenen nodig, een stuk of wat bitjes omdat je ze steeds kapotbijt, en wat denk je dat die sticks kosten? Tel daar de hogere contributie bij op en dan begrijp je dat jouw sport een stuk duurder is!'

Julia gooide een handdoek in haar sporttas en haalde een borstel door haar haren. Ze liep naar haar moeders kamer, speurde even langs de flesjes parfum die op de kast stonden en pakte toen de Chanel. Ze hield haar shirtje wat van zich af en spoot het onder de parfum. Oef, dat was sterk! Maar beter dan de ranzige sokkenlucht van Nick. Ze liep naar beneden.

'Mam, heb je toevallig m'n bitje ergens gezien?' vroeg ze aan haar moeder, die boterhammen stond te smeren voor Nick. Ze griste een boterham van het bord en nam een hap. 'Kom je trouwens kijken vandaag?' Ze veegde een paar kruimels van haar lip.

'Nee, sorry. Ik moet bij voetbal kijken, dat had ik Nick van de week al beloofd. Het is een heel belangrijke wedstrijd, ze kunnen aan kop komen! De volgende keer dat je thuis speelt, kom ik weer, oké?' Ze zoende Julia op haar wang. 'Jee, wat ruik ik? Is dat mijn parfum? Juul!'

'Mijn shirt stonk naar Nicks sokken! Wat moest ik anders? Jij had het niet gewassen!'

'Je had niet mijn parfum mogen pakken! Die fles heb ik nog van papa gekregen, daar ben ik zuinig op.'

Julia slikte. 'Nou, tot later,' zei ze nijdig. Ze pakte haar bitje en liep naar de gang. Alweer een wedstrijd zonder toeschouwers...

'Fiets voorzichtig!' riep haar moeder nog.

Zonder om te kijken sprong Julia Smit op haar fiets en ze liet de wind door haar haren waaien. Haar ogen traanden. Van de wind, hield ze zichzelf voor. Gewoon van de wind.

2

'Meiden, luister goed. We staan er niet al te best voor. Het is dus erg belangrijk dat we vandaag proberen te winnen. Een moeilijke tegenstander, we moeten tegen Push It. Daar hebben we laatst flink van verloren. Emma, jij gaat de eerste helft in het doel, trek het pak maar alvast aan.'

Emma kreunde. Ze begon de enorme legguards aan te doen, geholpen door haar moeder. Ook de bodyprotector, die haar hele bovenlijf bedekte, de elleboogbeschermers en ten slotte het masker gingen moeizaam aan. Hun team, de Sterren, had nog geen vaste keeper, ze moesten rouleren, zodat iedereen een keer aan de beurt kwam. De keepersoutfit was warm. Zeker op dagen dat het al warm was, broeide het pak behoorlijk.

'Julia, jij bent spits, samen met Daisy. Florine, op het middenveld samen met Sanne. Pleun, Sofia en Eva: jullie zijn verdedigend. Sofia, jij mag ook mee in het middenveld als tijdens het spel blijkt dat daar behoefte aan is. Jasmijn, jij bent reserve, ik wissel je halverwege de eerste helft. Pip is vandaag ziek, dus we hebben maar één wissel.' Coach Simon, de vader van Pleun, keek de meiden aan. 'Iedereen weet nu waar hij staat.' Hij snoof even. 'Wat ruik ik toch? Is iemand uitgeschoten met de parfum of zo?'

Julia beet op haar onderlip en zweeg.

Coach Simon snoof nog een keer en ging toen verder. 'Nog even de regels: Julia, de eerste?'

'Bit en beschermers aan! Sieraden af.'

'Goed zo! Emma, regel twee?'

'Ballahaanduhgrot,' klonk het uit het masker.

Iedereen lachte.

'Ja, bal laag aan de grond houden. Sofia?' ging de coach onverstoorbaar verder.

'Stick laag!'

'Overtreding binnen de cirkel is een strafcorner!'

'Shoot in de cirkel is een strafcorner.'

Shoot!

Het is bij hockey verboden de bal met je lichaam te raken of te stoppen. Als dit toch gebeurt, noem je dat een shoot. Bij een shoot krijgt de tegenstander een vrije slag. Wanneer je expres de bal stopt met je voet, telt de overtreding zwaarder dan alleen een shoot en krijg je een zwaardere straf.

'Bij een strafcorner van de tegenpartij moeten wij achter de achterlijn om mee te verdedigen. Behalve de aanvallers, die blijven vooraan.'

'En als wij zelf een strafcorner nemen, moeten we buiten de cirkel blijven!'

Simon knikte. 'Nou, we hebben alle regels wel zo'n beetje gehad. Op de belangrijkste na.' Hij bracht zijn hand naar zijn oor en hield zijn hoofd schuin. 'Nee, de belangrijkste regel heb ik nog niet gehoord. Meiden?'

Ze keken elkaar grijnzend aan en gilden toen als één team: 'Plezier hebben in je spel, dan komt het winnen daarna wel! Wij zijn sterren met ballen en sticks, bang voor niemand en voor niks!'

De toss besliste dat Sterrenhout op de rechterhelft zou beginnen. De eerste paar minuten van de wedstrijd liep iedereen nog te zoeken naar zijn plek. Florine was voorstopper, Julia was linksvoor.

Coach Simon riep vanaf de zijlijn instructies. 'Florine, lopen! Naar rechts! En dek je man. Julia, neem het veld! Sofia, naar achteren. Er is voldoende vrije ruimte! Laat je aanspelen.'

De vader van Sofia stond ook naast de lijn te roepen. 'Sofia, pas op dat je geen gaten in de dekking laten vallen! Ga iets meer naar voren.'

Coach Simon keek even naar Sofia's vader. 'Paolo... als je het niet heel erg vindt... ik ben de coach en als we met z'n tweeën gaan roepen, weten de meiden niet goed naar wie ze moeten luisteren.'

Sofia's vader haalde zijn schouders op. 'Natuurlijk. Alleen zie ik dat Sofia niet altijd al haar talenten kan benutten.'

Coach Simon zuchtte. 'Ik denk dat Sofia prima haar talenten kan benutten, met de juiste inzet van haar kant.'

'Wat bedoel je daarmee? Onze Sofia doet enorm haar best en als een coach niet het beste uit een kind kan halen, dan...'

Coach Simon draaide zich om en liep een paar meter verder. 'Goed zo, meiden! Prima aanval.' Hij negeerde Sofia's vader de rest van de wedstrijd.

Florine sloeg haar stick tegen de bal, naar Daisy, die met de bal naar het doel van Push It rende. De bal werd haar echter ontfutselt door twee spelers van de tegenstander, van wie er een nu in volle vaart naar het doel van Sterrenhout rende, recht op Emma af. Emma bewoog van haar linker- op haar rechtervoet, de grote beenbeschermers hinderden haar in haar bewegingen. Ze moest inschatten aan welke kant van het doel de aanvalster van Push It zou komen. Links. Ze zag hoe Pleun en Eva achter de speelster aan renden. Pleun zette haar stick tegen de grond en deed een poging om de bal af te pakken. Met een venijnige slag probeerde ze de bal uit de cirkel te krijgen.

Pfffffieieieieiet! Een van de spelleiders floot.

'Dat was gevaarlijk spel. Push It mag een strafcorner nemen.'

'Kom op, meiden! Verdedigen!' riep coach Simon.

De ouders aan de zij- en achterlijn schreeuwden van alles door elkaar. Over verdedigen, over de bal tegenhouden, maar ook: 'Zet 'm op, scoren!' (dat waren de ouders van Push It) en: 'Doe je best!'.

Florine zag haar vader staan. Hij keek geconcentreerd, met een frons tussen zijn wenkbrauwen, naar Emma en naar de speelster van Push It die nu de bal stilhield. Ze knikte naar een meisje dat naast haar stond, die de bal aannam vanaf de achterlijn en loeihard richting Emma stootte.

Er klonk gejuich. 'Yes! 1-0!' riepen de meiden van Push It en ze sloegen elkaar even op de schouders.

'Shit,' zei Julia tegen Florine. 'Nu moeten we wel zorgen dat we erbovenop blijven zitten en niet nog verder achter raken.'

Florine knikte. Coach Simon gebaarde dat zij de beginslag weer had.

Als ze nu eens flink hard flatste... en de bal ver richting het doel van de tegenstander probeerde te krijgen... dat zou goed zijn!

Florine ging staan en duwde haar stick hard tegen de bal, die een opwaartse zet kreeg en van de grond loskwam.

Pffffieieiet! 'Bal te hoog! Strafcorner!' gebaarde de spelleider.

'Flo!' riep Julia geërgerd. 'Nou hebben ze wéér een strafcorner!'

Het werd 0-2 en net voordat de eerste helft erop zat 0-3.

Verliezen...
Soms zijn hockeyclubs niet aan elkaar gewaagd en is de een veel sterker dan de ander. Zo verloor het nationale team van Nepal een keer van India met 0-21. In Nederland is bij de amateurs wel eens een score voorgekomen van 34-0. Je zou je bijna afvragen of de tegenstander wel een keeper had!

'Dat gaat niet echt goed!' zei Florines vader tegen zijn dochter. Florine dronk gulzig een slokje sportdrank en nam een hap van de gesneden appel die de moeder van Eva uitdeelde.

'Alweer drie punten achter... Jullie zullen toch echt wat harder moeten werken om eens te winnen, Flo.'

Florine zuchtte. 'Ja, weet ik.'

'Je slaat te hoog, dat doe je vaak. Het is geen honkbal. Waarom vraag je Harriët niet eens om wat extra training? Die weet precies hoe ze de bal moet spelen zonder dat het té gevaarlijk wordt.'

Natuurlijk, Harry wel. Florine onderdrukte een diepe zucht.

Coach Simon raakte haar schouder aan. 'Florine, ik wissel je met Jasmijn.'

Florine haalde haar schouders op. Ook goed. Als ze dan maar niet naast haar vader hoefde te blijven staan. En zijn commentaar op alles moest aanhoren – vooral zijn commentaar op háár!

'Ik ga wel onder het afdakje zitten,' zei Florine en ze wees naar de houten bank.

'Doe je bodywarmer aan, anders vat je kou,' riep haar vader nog.

3

Julia nam de bal aan. Ze waren nu twintig minuten bezig in de tweede helft en het stond inmiddels 1-5. Die ene goal had Julia gescoord. Ze was, met een forse uithaal, de laatste man van de tegenpartij te snel af geweest. Niet dat het nog erg veel uitmaakte, dacht Julia somber. Ze zag aan haar teamgenoten dat ze er eigenlijk geen zin meer in hadden en ze wist dat ze niet meer zouden winnen. Zo ging het bijna iedere wedstrijd. Ze kwamen op achterstand en dan zakte iedereen in, leek het wel.

'Kom op!' riep coach Simon. 'Naar Jasmijn toe!'

Julia keek naar Jasmijn, die redelijk vrij stond. Voor haar stond een speelster van Push It. Als ze nu eens een schijnbeweging naar links zou maken, dan kon ze de bal zo richting het doel van de tegenpartij spelen. En zelf scoren.

'Naar Jasmijn! Kom op, Julia!'

Julia keek verbeten naar de kant, waar alle ouders stonden. Nou ja, alle ouders op die van haar na.

Ze slikte en pushte de bal vooruit. Haar benen bewogen steeds sneller, tot ze Jasmijn voorbij was en de bal een laatste slag gaf, waardoor deze langs de benen van de keeper ging, de lijn over, het doel in.

'Yeah!' juichten Eva en Pleun.

Jasmijn liep naar Julia toe, die grijnzend naar haar teamgenoten keek. 'Je zou hem toch overspelen?' Ze keek Julia bedenkelijk aan.

'Nou en? Ik heb toch gescoord? Daar gaat het om, of niet?'

Emma kwam ook aanrennen. Deze helft stond Daisy in het doel. 'Super, Juul!'

'Ja, dat is wel zo, maar...' begon Jasmijn.

'Ach, hou toch op!' zei Julia nijdig.

Coach Simon gebaarde dat er gewisseld moest worden.

Julia draaide de ouders haar rug toe en liep rustig terug naar het middenveld. Sofia zou er wel uit gaan. Of Eva.

'Smit, jij eruit, Van Senhoven er weer in!' riep de coach.

Julia draaide zich om. Wat?! En ze had net gescoord! Als er iemand goed speelde, was zij het wel.

'Maar ik scoor tenminste!' brieste ze toen ze naast Simon stond. 'Waarom haal je mij er nu uit?'

'Omdat je mijn aanwijzingen niet opvolgt. Ik vroeg je de bal aan Jasmijn door te spelen. Dat heb je niet gedaan. Je gunt Jasmijn zo niet de kans zich ook te ontwikkelen en ik kan niet van je op aan. Bij de eerste goal zat je ook op het randje van gevaarlijk spel. Je had de bal naar Eva of Sanne moeten spelen. Maar je luistert niet.'

Woedend staarde ze naar haar coach. Wat dacht hij eigenlijk! Het was wel 2-5 dankzij háár.

Haar vader zou er vast iets van gezegd hebben. Die was naar Simon gegaan en had hem duidelijk gemaakt dat het niet eerlijk was, dat er maar één speelster écht haar best deed, en dat was zij, Julia.

Maar haar vader stond niet langs de lijn. Ze gluurde zijdelings naar de ouders die er wel stonden. Die keken wat meewarig naar haar. Florines vader leek zelfs een beetje gepikeerd. Nou ja zeg!

Bitje
Een bitje beschermt je gebit voor het geval er een bal of stick tegenaan komt. Een bitje maak je passend door het in heet water te leggen, een beetje af te laten koelen, weer in je mond te stoppen en dan je tanden op elkaar te zetten. Daarna hou je het nog even onder de koude kraan.

Ze spuugde haar bitje uit, gooide haar stick op de grond en duwde demonstratief haar sokken omlaag.

Het bleef 2-5.

In de kantine was het enorm druk. HC Sterrenhout was een grote club en iedere zaterdag stond het clubhuis vol met spelers, ouders, bezoekende teams en broertjes en zusjes van spelers. Florine zag haar moeder bij de bar staan. Ze lachte net om iets wat de vader van Daisy tegen haar zei.

'We hebben verloren...' zei Florine en ze draaide met haar ogen. '2-5.'

Haar moeder keek haar aan. 'Ja, heb ik gehoord van Michel hier.' Ze wees naar Daisy's vader. 'Hoorde trouwens dat Julia weer gescoord had. Dat is wel jullie topscorer, hè?'

'Ja, maar Simon stuurde haar toch weg in de tweede helft.' Florine tuurde het clubhuis in. 'Ik moet nog wel even terug naar m'n team, nabespreken. Mag ik straks wat geld voor een tosti?'

'Jammer, meiden.' Simon schonk de bekers vol limonade. 'Ze waren net een tandje te sterk voor ons. Maar goed, we gaan niet helemaal roemloos ten onder, we hebben in ieder geval twee doelpunten gescoord. Maar we staan ver onderaan, geloof ik.'

'HC Geel-Groen staat onderaan,' zei Daisy. 'Heb ik gisteren nog op de site gezien.'

'Het lijkt wel of jullie, als we eenmaal achterstaan, de moed verliezen. Dat is toch nergens voor nodig? Het is pas voorbij als het voorbij is. En niet eerder. Dus als je achterstaat, kun je nog gewoon winnen. Door in jezelf te geloven, door als team' – hij keek hierbij even naar Julia, die weigerde terug te kijken – 'met elkaar samen te spelen en te geloven dat jullie het kunnen.'

'Mwah...' Sanne haalde haar schouders op. 'We verliezen bijna altijd, het is gewoon niet leuk meer.'

'Nee, dat klopt. Dat is inderdaad erg vervelend. Maar dat wil niet zeggen dat je de moed dan maar op moet geven. Dan kun je net zo goed meteen stoppen. Nou meiden,' coach Simon rechtte zijn rug, 'ik zie jullie woensdag op de training. Eva, vergeet je beenbeschermers deze keer niet, anders train je weer niet mee. Volgende week spelen we uit tegen Blauw-Wit en...'

'Auw-Wit zul je bedoelen!' lachte Florine. 'Zij slaan altijd met hun sticks tegen je benen!'

Iedereen lachte mee.

'Ja, dat is zo. Blauw-Wit is een redelijk agressief team. Althans, hun spel is agressief. Maar ze staan wel derde in de poule, blijkbaar werkt hun manier van spelen best goed.'

In de poule van Sterrenhout zaten nog vier verenigingen van meisjesachttallen. Greenfields stond bovenaan, gevolgd door Push It. Daarna Blauw-Wit, dan Sterrenhout en als laatste Geel-Groen.

'Goed, dat was het. O, voor ik het vergeet, Jasmijn, zou jij het wedstrijdverslag willen schrijven voor de website? Het is jouw beurt, geloof ik.'

De Sterren hadden een eigen webpagina op de site van HC Sterrenhout, en iedere week moest een speelster een verslag van de wedstrijd maken en mailen naar Simon, die het vervolgens op de site zette. Er stonden allerlei mooie foto's op van het team, en het leukste onderdeel was De Stick van de Maand. Aan het eind van iedere maand mochten de speelsters stemmen op degene die volgens hen die maand het best had gepresteerd. Je mocht niet jezelf kiezen en je mocht ook maar één keer je stem uitbrengen, en de coach twee keer. De Stick van de Maand werd beloond met een milkshake, die coach Simon betaalde. Maar het ging natuurlijk vooral om de eer! Je kwam met je foto op de site en Simon schreef er een klein stukje bij over de reden waarom je Stick van de Maand was geworden.

'Nog even kort iets over volgende week. Dan rijden de moeder van Jasmijn en de vader van Sofia,' ging coach Simon verder. 'En Julia, jij hebt de fruitbeurt. Trouwens, kun je even blijven? Ik wil met je praten. De rest: prettig weekend en tot woensdag!'

Julia duwde met haar voet tegen haar sticktas. Haar teamgenoten stonden op en verspreidden zich in groepjes door de kantine. Sommige werden door hun ouders opgevangen, andere fietsten met elkaar naar huis. Ze zuchtte. Ze hoorde de meiden naar elkaar roepen dat ze elkaar vanmiddag zouden zien op het feest van Sanne. Daar was ze niet voor uitgenodigd. Nou, jammer dan, voor Sanne! Ze snoof even en blies een haarlok voor haar gezicht weg.

'Goed, Julia.' Coach Simon zuchtte en ging zitten. 'We moeten het eens hebben over je houding in het veld. Ik begrijp heus wel dat het niet makkelijk voor je is, zonder je vader.' Hij keek haar onderzoekend aan.

Julia keek weg. Ze beet op haar lip.

'Maar je moet leren om naar me te luisteren. Ik ben de coach en als ik aanwijzingen geef, dan wil ik ook echt dat die opgevolgd worden. Je moet goed begrijpen dat hockey een teamsport is. Als coach heb ik het overzicht over het verloop van het spel en vanuit die positie kan ik instructies geven. Die moeten vervolgens wel uitgevoerd worden, ook als je het er niet mee eens bent.'

'Ik scoorde toch?' zei Julia koppig.

'Ja, dat klopt. En met mijn aanwijzingen had je niet zelf gescoord maar had een van de anderen kunnen scoren. Of misschien wel helemaal niet. Daar gaat het niet om. Je moet leren in een groep te functioneren. Julia,' hij pauzeerde even en nam een slok van zijn koffie, 'jij bent misschien wel een van de meest getalenteerde speelsters die ik heb, maar je bent ook een ongeleid projectiel. Je zou heel ver kunnen komen in deze sport. Maar alleen als je leert dat er regels zijn waar je je aan te houden hebt. Als je daar niet mee om kunt gaan, kom je niet ver en verspil je je talent. Begrijp je dat?'

Julia haalde haar schouders op. Ze snapte niet waarom ze deze preek nou weer kreeg, ze had toch verdorie als enige gescoord?

Simon zuchtte. 'Goed, laat het maar even bezinken. Ga je nog iets leuks doen dit weekend?'

Ze keek hem aan. 'Nee. Mijn broer moet voetballen vanmiddag. Mijn moeder moet morgen werken, dus dan zijn mijn broer en ik thuis om op Vlinder te passen.'

'Ik vind het wel bewonderenswaardig hoe je moeder haar best doet het gezin draaiende te houden, en dan ook nog met die weekenddiensten in het ziekenhuis. Ik kan me goed voorstellen dat het voor jullie soms moeilijk is. Nou, toch een fijn weekend gewenst en ik zie je woensdag. O ja! Vergeet ik bijna nog te zeggen. Ik zag dat je flink aan het groeien bent. Je stick is aan de kleine kant. Ik denk dat je een nieuwe moet hebben. Je weet, hij moet tot je navel komen als je rechtop staat. Nou, dag!'

Julia zuchtte. Ook dat nog! Haar moeder zou wel freaken als ze een nieuwe stick moest kopen.

4

Julia's moeder staarde haar ontzet aan. 'Wat...? Waarom heb je dat nou gedaan?' Haar verbijsterde uitdrukking ging over in een boze frons. 'Jee Juul, ik snap het niet! Hoe kun je dit nou doen?'

Vlinder zat aan de eettafel in de keuken en keek haar zus met grote ogen aan.

'Wie heeft dit gedaan?' Haar moeder zette haar handen in haar zij en keek Julia vragend aan.

'Wizz. Ik vind het wél mooi, en het is mijn haar!' zei ze verdedigend.

Wizz was haar beste vriend. Hij heette eigenlijk Bas, maar omdat hij een kei in computers en alles daaromheen was, had hij de bijnaam Wizz gekregen. Wizz was dertien, twee jaar ouder dan Juul, en zat al op de middelbare school. Hij was hun vroegere buurjongen, maar na de scheiding van zijn ouders was hij met zijn moeder een paar straten verderop gaan wonen. Juul ging minstens tweemaal per week bij hem langs. Gewoon om samen muziek te luisteren of om op internet maffe filmpjes te bekijken. Wizz was lang en slungelig en had een enorme bos donkere krullen. Hij droeg meestal broeken met scheuren erin, afgetrapte gympen en een sjaal om zijn nek. Wizz had een heel eigen stijl en dat beviel Juul wel.

Ze keek in de glazen ovendeur naar haar paarse haren. 'Ik vind het mooi!' herhaalde ze nog een keer en ze ging er met haar vingers doorheen. Ze had een grote pluk, ongeveer een kwart van al haar haren, paars geverfd.

'Nou, ik niet,' riep haar moeder boos uit. 'Hoe haal je het in je hoofd?!'

Julia haalde haar schouders op. 'Had ik gewoon zin in.'

Ze was na de hockeywedstrijd langs de drogist gegaan om een zak dropjes te kopen voordat ze naar Wizz ging. In de bak met sterk afgeprijsde artikelen had paarse haarverf gelegen.

Impulsief had ze die gekocht. De caissière had even haar wenkbrauwen opgetrokken en Juul had gezegd: 'Voor mijn moeder, die vroeg ernaar.' De caissière had haar schouders opgehaald en afgerekend. Paars haar, waarom ook niet? Juul voelde zich toch al een buitenbeentje.

Gierend van de lach hadden zij en Wizz haar haren geverfd in de douche bij hem thuis.

Toen ze naderhand in de spiegel keek, was ze wel geschrokken van het resultaat, maar het was te laat geweest om er iets aan te doen, en dus had Julia besloten dat ze het maar beter mooi kon vinden.

'Je prachtige blonde haren...' jammerde haar moeder en ze schudde haar hoofd. 'Wat zou je vader hier wel niet van gezegd hebben?'

Juul keek haar moeder uitdagend aan. 'Die zou gezegd hebben dat het prachtig staat!'

'Dat denk ik niet!' zei haar moeder bits terwijl ze een pan pasta afgoot.

Op dat moment kwam Nick thuis. Ze hoorden de sleutel in het slot en hij riep 'Hoi!' vanuit de gang.

Hij kwam de keuken binnen en bleef als door de bliksem getroffen staan. De glimlach om zijn mond werd een grijns. 'Wauw, wist niet dat het alweer carnaval was, het jaar vliegt voorbij blijkbaar!' Hij liep naar zijn moeder toe en zoende haar op haar wang. Daarna plofte hij op een stoel neer en keek nog steeds grijnzend naar Julia. 'Wat is dit? Een statement of zo? Word je punk? Wat zegt dit kapsel over jou?' Hij wreef over zijn kin. 'Hm. Dit zegt: "Ik ben knettergek geworden en vind het totaal niet interessant dat mensen me aan zullen staren!"' Hij lachte.

'Ha ha,' zei Julia droog zonder ook maar één glimlachje. Toch voelde ze de onzekerheid groeien. Misschien had ze dit niet moeten doen. Ze slikte.

'Het is uitwasbaar,' zei ze. 'Stond op de verpakking. In 28 wasbeurten uitwasbaar.'

'Ja, maar dan blijft er altijd wel iets achter in je haar, het zal er niet helemaal uit gaan! Ze zetten dat wel op de verpakking, maar het is er echt niet in 28 wasbeurten helemaal uit,' voorspelde mam streng.

'Nou, ik kan het altijd weer blond verven,' vond Julia. 'Als de kleur me gaat vervelen.'

Haar moeder zette de pan pasta op tafel en daarna een pan met saus. Ze zuchtte. 'Tja, er is nu niet veel meer aan te doen. Het opnieuw blond verven is geen optie, Julia Smit. Je kunt het hooguit donkerbruin kleuren. Maar ik denk dat je het beter kort kunt laten knippen en dan is het een kwestie van geduld. Héél veel wassen en geduld, en wachten tot het helemaal uitgegroeid is en je weer gewoon jij bent.'

Julia blies langzaam haar adem uit. Dat ze het niet opnieuw blond kon laten verven, daar had ze geen moment bij stilgestaan. Zij en Wizz hadden het gewoon een hele goede grap gevonden, zo'n enorme paarse pluk door haar haren. Maar nu vond ze dat niet meer.

Ze slikte de brok in haar keel weg en schepte wat pasta op haar bord. Dit was vast niet het juiste moment om over een nieuwe hockeystick te beginnen.

Mam keek Nick aan. 'Wat fantastisch dat jullie gewonnen hebben! Julia's team heeft verloren. Jammer. Maar jij hebt gewonnen, super!'

'Ik heb anders wel twee keer gescoord!' riep Julia fel uit.

'Dat is hartstikke goed, meid. Nick heeft ook gescoord, toch, Nick?'

Zwijgend at Julia haar maaltijd, terwijl ze luisterde naar haar broers verslag van zijn wedstrijd.

Het was razend druk op Schiphol. Florine keek om zich heen. Overal stonden mensen te wachten op reizigers uit alle landen van de wereld. Ze hoorde allerlei verschillende talen om zich heen. Soms rende iemand opeens naar een passagier die door de schuifdeuren kwam en dan vielen ze elkaar in de armen. Anderen begroeten elkaar gewoon met een handdruk.

'Maar hoe herkennen jullie haar dan?' vroeg Florine aan haar moeder.

'Ik heb haar een paar jaar geleden nog gezien, weet je nog? Bovendien heb ik haar natuurlijk als kleuter gekend, ze was vijf toen ze naar Australië verhuisde.'

'Mam! Ze is inmiddels negentien. Ze lijkt heus niet meer op een kleuter van vijf,' lachte Florine.

Dat was dus de verrassing geweest. Stella Stevenson zou de komende maand bij hen komen logeren. Stella was de dochter van een goede vriendin van Florines moeder. Die woonde met haar gezin al weer jaren in Australië, in Melbourne. Florines moeder was drie jaar geleden nog een paar weken in Australië geweest, om haar vriendin op te zoeken. En nu kwam Stella vier weken bij hen in huis en kreeg ze de logeerkamer op zolder.

Maar het mooiste van alles was dat Stella bij een van de topclubs van Australië hockeyde en een geweldige speelster was! Omdat het Australische seizoen nu afgelopen was, kwam ze naar Nederland om stage te lopen bij de A-selectie van Sterrenhout. Op die manier zou ze ook de Europese speelwijze leren en daar kon ze dan weer haar voordeel mee doen in de Australische competitie. Bovendien was ze een van de namen die genoemd werden als mogelijke deelnemers aan de Olympische Spelen in 2012. Kortom, Stella Stevenson was een echte topper.

Nóg een hockeywonder in huis... Aanvankelijk had Florine het niet echt een leuk idee gevonden, maar haar nieuwsgierigheid was toch gewekt door het feit dat Stella Australische was. En als ze ook zo'n bemoeial zou blijken te zijn die haar steeds ongevraagd van speltips voorzag, zou ze haar gewoon negeren.

'Vlucht KL 567 uit Melbourne is zojuist geland.' De blikkerige stem weerklonk door de hal.

'Goed zo! Kom, dan gaan we naar de plek waar ze aankomt.' Haar moeder trok haar mee. Harriët en pap waren er niet bij, omdat Harriët een belangrijke wedstrijd had en pap daar met haar naartoe zou gaan. Op zich wel eens lekker, vond Florine, een dagje alleen met haar moeder op pad. Ze waren wat vroeger naar Schiphol gegaan en hadden er eerst lekker gegeten met zicht op de landende en opstijgende vliegtuigen.

'Daar is ze!' Mam begon te zwaaien.

Florine keek door de ruit. Er liepen zo veel mensen dat ze geen idee had naar wie ze moest kijken. Ze richtte haar blik in dezelfde richting als ze haar moeder zag kijken. Er liep een man met een enorme bierbuik en hangsnor. Dat was Stella in ieder geval niet, grijnsde ze. Er liep een gezin met kleine kinderen. Ze zag een oude Indiase vrouw in een prachtige sari. Twee meisjes die wel de leeftijd van Stella hadden, maar die duidelijk met elkaar op reis waren. Een paar rugzaktoeristen. Ook zag ze een meisje met lang lichtblond haar en een zongebruinde huid. Ze droeg schapenbontlaarzen, een spijkerbroek, een roze tuniek en had een zonnebril op haar hoofd. Met een postmanbag over haar schouder keek ze vragend en zoekend rond terwijl ze een koffer op wieltjes achter zich meetrok. Vast een actrice, dacht Florine.

Het meisje zwaaide nu ook. Florine was verbaasd. Stella zag er helemaal niet uit als een typisch hockeymeisje, eerder als een topmodel. Florine was zich opeens heel erg bewust van haar eigen kleding. Ronduit saai, eigenlijk. Een spijkerbroek en een poloshirt. Haar haren in een staart en aan haar voeten ballerina's. Alles donkerblauw. Ze volgde Stella, die nu enthousiast haar pas versnelde, met haar blik.

Toen die door de deur heen kwam, liep ze rechtstreeks op mam af. 'Hallo, tante Annet! Wat leuk u weer te zien.'

Ze had een grappig accent, maar Florine was eigenlijk best verbaasd dat Stella zo goed Nederlands sprak.

'Stella, meisje!' Mam omhelsde haar stevig. 'Dit is mijn jongste dochter, Florine.'

'Hoi. Leuk je te ontmoeten, Florine!' Stella stak een hand naar haar uit.

'Hoi,' mompelde Florine. Ze voelde zich behoorlijk overdonderd door de knappe glamgirl die voor haar stond.

'Dus jij wordt mijn tijdelijke zusje. Ha! Leuk hoor! Altijd al een zusje willen hebben, ik heb alleen drie broers. Allemaal jonger dan ik, dus ik zit ze lekker op hun kop,' lachte Stella. Ze volgde hen naar de uitgang.

'Brrr... Wat is het hier koud, zeg! In Australië is het echt warm nu. Ik had natuurlijk een jas mee moeten nemen in mijn handbagage, niet aan gedacht. O, jullie krijgen de groeten van pap en mam. Mama wilde eigenlijk het liefst mee naar Nederland, kon ze meteen haar familie opzoeken, maar dat ga ik nu voor haar doen. Ze kan de jongens natuurlijk niet zo lang alleen laten.'

'Nee, dat begrijp ik,' zei mam, 'maar toch gezellig dat jij er wel bent.'

Eenmaal thuis dronken ze eerst een kopje koffie, met gebak erbij. Harriët was inmiddels ook terug van de hockeywedstrijd, en ze was vol bewondering voor hun nieuwe huisgenoot. Algauw ging Stella paar uur slapen om bij te komen van de lange reis.

'Ik zou natuurlijk ook eens naar Australië kunnen gaan, daar stage lopen,' mijmerde Harriët. 'Wat is ze trouwens hip, zeg! Zouden alle Australische hockeyers er zo uitzien?'

'Geen idee, maar wat is er mis met hoe jullie eruitzien?' vroeg mam.

'Niets. Alles. Zij is... Nou, ze is lekker bruin, ze heeft hagelwitte tanden en ze draagt prachtige kleren. Volgens mij had ze zeker acht hippe armbanden om, en dat haar!' Harriët zuchtte. 'Ik heb melkboerenhondenhaar, niet blond en ook niet bruin. Ik ben bleek en ik heb last van puistjes en wij kleden ons een stuk... conservatiever.'

'Niets mis mee!' Mam gooide garnalen in de wok. 'Je ziet er keurig uit, net als Florine.'

'Precies,' knikte Harriët. 'Keurig. Dat is het goede woord. Wij meisjes Van Senhoven zien er keurig uit. Keurig maar saai.'

5

Wie er zeker niet saai uitzag, was Julia. Verbijsterd staarden haar klasgenoten haar aan.

De juf schraapte haar keel. 'Tja, het is eh... apart. Kleurrijk. Wat eh... mocht dat, van je moeder? Je haar kleuren?'

'Ja hoor,' loog Julia. Ze voelde zich opgelaten, met alle blikken van de klas op zich gericht. Zo leuk als het zaterdag had geleken, zo veel spijt had ze er nu van. Ze had haar haren gisteren wel zes keer gewassen om de kleur eruit te krijgen. Het enige resultaat was dat het paars wat doffer was geworden, en met iedere wasbeurt was de paniek toegenomen dat de kleur er misschien nooit meer uit zou gaan. 'Natuurlijk vond ze het goed,' herhaalde ze.

'Dat zouden mijn ouders dus never nooit goedvinden!' mompelde Emma.

Van Julia's hockeyteam zaten Florine, Emma, Sofia en Pip bij haar in de klas. Daisy en Sanne zaten in de andere groep zeven en de overige meiden op andere scholen.

'Ik vind het wel maf,' zei Philip. Hij grijnsde naar haar.

Ze keek hem vernietigend aan. Philip was zonder meer de knapste jongen van de klas en stiekem vond ze hem erg leuk, dus ze wilde zeker niet dat hij haar uitlachte. 'Kijk naar je eigen kapsel!' snauwde ze bits.

'Ho ho!' De juf stak haar handen omhoog. 'Laten we elkaar niet gaan bekritiseren om elkaars uiterlijk. Julia, het is logisch dat jouw kapsel reacties oproept. Zo'n grote paarse pluk... en dat terwijl je nog zo jong bent... Dat had je van tevoren kunnen bedenken. Maar ik wil niet dat kinderen in deze klas commentaar gaan geven op andermans uiterlijk. Julia heeft ervoor gekozen haar haren paars te kleuren, dat is haar goed recht. En nu gaan we verder met de les. Pak je boek en...'

Julia zette de kraan opnieuw aan en spoelde de shampoo uit haar haren. Verdorie, het bleef maar paars! Ze wikkelde er een handdoek omheen en trok haar hockeykleding aan. Ze had straks training. En ze vreesde dat ze daar ook weer commentaar zou krijgen. Sinds afgelopen maandag was ze op school het gesprek van de dag geweest. Nu was het woensdag en nog steeds werd ze nagestaard. Zou ze niet onder de hockeytraining uit kunnen komen? Langzaam sjokte ze naar beneden. Haar moeder zat op de bank de krant door te nemen.

'Ik heb zo'n buikpijn...' klaagde Julia. 'Ik denk niet dat ik naar hockey kan...'

Haar moeder maakte haar blik los van de krant en keek Julia

nauwlettend aan. 'Hm. Buikpijn, zei je? En die stroopwafel die je net naar binnen hebt gewerkt? En dat glas cola? Toen had je geen buikpijn.'

'Nee, dat kwam ook pas daarna...' mompelde Julia. Verdorie, door de mand gevallen.

'Volgens mij heb je helemaal geen last van buikpijn. Julia, wie z'n billen brandt, moet op de blaren zitten.'

'Ik heb m'n billen niet verbrand, hoe kom je daar nou bij?'

Mam lachte. 'Dat is een gezegde. Het betekent dat je verantwoordelijkheid moet dragen voor de dingen die je gedaan hebt. Ik schat in dat jouw "buikpijn" eerder te maken heeft met je nieuwe haarkleur. En dat je er nu tegen opziet om je aan je team te vertonen.'

Julia plofte neer op de bank. 'Zoiets,' mompelde ze.

'Tja, je zult erdoorheen moeten. Je kunt je niet verstoppen. Dus ga nu maar gewoon naar de training. En als ze lachen, dan is dat maar zo. Ze zullen zelf ook heus wel een keer zijn uitgelachen.'

Julia beet op haar lip. 'Ik heb trouwens een nieuwe stick nodig, zei de coach.'

Haar moeder vouwde de krant dicht. 'Een nieuwe stick? Dat zal nu niet gaan, Julia. Ik kreeg nog een belastingaanslag van vorig jaar en ik heb geen idee waar ik het geld allemaal vandaan moet halen. Een nieuwe stick zit er gewoon niet in. Trouwens, zo oud is je stick niet, wat is er mis mee?'

'Niets. Alleen groei ik en nu is mijn stick te kort. Of ik te lang. En dan moet je heel erg bukken om je stick aan de grond te kunnen houden en dat is niet goed voor je rug en zo.'

'Julia...' Haar moeder keek haar even aan. 'We moeten het er

Te klein
Een te kleine hockeystick speelt niet fijn omdat je veel te diep moet bukken om goed te kunnen hockeyen. Een stick moet dus bij je eigen lengte passen. Als je je arm langs je lichaam laat hangen en je onderarm in een hoek van 90 graden houdt, moet je elleboog precies op je stick rusten.

misschien nog maar eens over hebben of je wel op hockey kunt blijven. De tweede...'

'Wat?!' Julia ging rechtop zitten. 'Hoe bedoel je?'

'Laat me even uitpraten. De tweede termijn van je lidmaatschap moet betaald worden en ik heb dat geld op het moment niet. Ik kan je geen nieuwe stick geven en binnenkort komt ook de rekening voor de waterschapsbelasting. Je vader...' Ze stopte even en keek uit het raam. 'Hij was een geweldige vader en een fantastische man, maar financieel had hij het allemaal niet zo goed geregeld. De begrafenis heeft erg veel geld gekost en de bodem van de spaarpot is bijna bereikt. Er zit nog maar een beetje in, voor noodgevallen. Voor als de wasmachine ermee ophoudt bijvoorbeeld. Een nieuwe hockeystick of zelfs de contributie van de hockeyvereniging is geen noodgeval. Ik zal er nog eens goed naar kijken, maar ik ben toch echt bang dat ik geen keus heb.'

Julia keek haar moeder boos en geschrokken aan. Dat kon ze toch niet menen? Hockey was het enige wat Julia nog kon boeien. Als ze over het veld achter de bal aan draafde, voelde ze zich weer even gelukkig, dacht ze voor één moment eens niet aan haar vader.

'Maar dat wil ik helemaal niet!' riep ze uit. 'We moeten maar ergens anders op bezuinigen. Nick gaat maar van voetbal af of we zeggen de telefoon op of...'

'Juul.' Haar moeders stem klonk kil en hard. 'Daar hebben we het al eens over gehad. Jij zit op een behoorlijk dure sport, Nick niet. En de telefoon opzeggen gaat ook niet, in deze tijd moet je bereikbaar zijn. Ik moet opgeroepen kunnen worden voor mijn diensten. Er is gewoonweg niets meer waar we nog op kunnen bezuinigen. De krant krijg ik al van de buren, we hebben 's avonds maar weinig lichten aan en ik doe inkopen bij de goedkoopste winkels. De rek is eruit, Julia.'

'Ja, maar...'

'Hou toch op! Denk je dat ik dit prettig vind? Toen papa nog leefde, hadden we het veel beter. Denk je dat ik dat niet mis? Maar het is nu eenmaal zo.' Mam stond op en liep naar de keuken. 'Ik zal erover nadenken of we dat geld op een andere manier kunnen ophoesten, maar een nieuwe stick zit er niet in. Punt uit!'

Coach Simon keek haar geschrokken aan. 'Wow Julia, wat is dat?' Hij wees naar haar haren.

Ze zuchtte geïrriteerd. 'Dat is mijn haar. Het is nu paars, voor een deel. En iedereen heeft er al om gelachen, dus ga vooral je gang.' Ze stak haar handen demonstratief in haar zakken en keek hem uitdagend aan.

'Nee, nee... ik wil niet lachen. Het is alleen... even wennen. En niet echt typisch een...' Hij zocht naar de juiste woorden.

'...hockeykapsel?' vulde Julia aan.

'Precies, niet echt een hockeykapsel.' Hij leek zich even geen raad met zichzelf te weten en haalde een hand door zijn haar. 'Nou, oké dan maar. Heb je trouwens al een nieuwe stick?'

'Nee. Nog geen tijd gehad,' zei Julia en ze liep naar het veld toe. 'Dat komt van de week wel,' loog ze en ze begon samen met haar teamgenoten rondjes om het veld te lopen.

Florine strekte een been. Ze duwde haar neus tegen haar knie.

'Dat haar...' giechelde Jasmijn naast haar zacht. Ze maakte een korte hoofdbeweging richting Julia.

'Ja! Echt belachelijk. Ze draagt ook altijd kleding van drie seizoenen geleden en zo. Ze ziet er niet uit,' fluisterde Pleun. 'Mijn vader schrok zich het apezuur toen hij haar zag. Hij dacht even dat het een pruik was!'

Florine lachte mee. Ze keek nog eens naar Julia. Nee. Dat was misschien niet de juiste term: 'er niet uitzien'. Want eigenlijk, op een verrassende manier, stond het haar wel en het paste ook bij Juul. Die was altijd al een beetje anders. Ze wilde dat ze zelf ook wat meer een eigen stijl durfde te ontwikkelen. Want je kon zeggen wat je wilde: die had Juul wel.

'Wie is dat trouwens?' Jasmijn gebaarde naar het lange meisje dat aan de kant stond.

'Dat is Stella Stevenson. Ze komt uit Australië en logeert een paar weken bij ons om mee te trainen met Dames 1.' Florine keek op en zwaaide even naar Stella.

Die zwaaide terug en richtte zich toen weer op haar mobiel, druk bezig berichtjes in te toetsen.

'Wauw. Maar dat is toch geen hockeyster? Ze lijkt wel een model!'

'Ja,' Florine klonk trots, 'en toch is ze hockeyster. Op topniveau nog wel. Ze is de dochter van vrienden van mijn ouders en daarom logeert ze bij ons. Ze neemt me een keer mee uit shoppen, zodat ik er ook zo uit kan zien!'

'Gaaf! En wat doet ze dan nu hier?'

Florine glom. 'Mij bekijken. Ze wilde mijn training wel eens zien. Kom, we moeten rondjes lopen!'

Meer dan ooit op een training deed Florine haar best om balcontrole te krijgen. Ze riep fanatiek om de bal, probeerde steeds opnieuw te scoren. Vanuit haar ooghoeken keek ze af en toe naar Stella, die het spel met belangstelling volgde.

'Flo! Verdedig je man,' riep coach Simon.

O ja! Ze rende weer naar achteren, maar was te laat. Kathy van het andere team knalde de bal langs haar heen, het doel in.

Florine keek nu niet naar Stella. Ze deed net of het eigenlijk aan Emma, de linksachter, lag en keek haar bozig aan. Emma haalde haar schouders niet-begrijpend op.

'Dat was jouw bal, hoor,' zei Florine hard.

'Niet! Simon zei het zelf, jij verdedigt niet goed. Zoals altijd.'

Florine keek geprikkeld op. 'Hoe bedoel je?'

Emma zette haar stick op de grond. 'Flo, jij mist altijd alle ballen!'

'Nietes,' riep Florine uit.

'Welles!' zei Emma kwaad.

'Dames!' Simon kwam aangelopen en ging bij hen staan. 'Wat is er aan de hand?'

'Flo geeft mij er de schuld van dat het andere team scoorde, terwijl ze zelf niet goed verdedigde!'

'Florine, jij moest de bal tegenhouden. Dus kan het niet alleen Emma's schuld zijn. Maar jullie weten dat ik geen ruzie tolereer op het veld. We zijn een team. Kom op, verder spelen.'

Stella liep naast Florine mee naar de fietsen. 'Heel anders dan thuis hoor, die trainingen. En het is zo koud hier! Wij trainen altijd heerlijk in de warmte.'

Florine lachte. 'Nou, je wordt anders vanzelf warm, hoor. Alleen na afloop kan het soms fris zijn.' Ze ritste haar jack dicht.

Een paar jongens uit de C-jeugd, die ook training hadden gehad, floten naar Stella. Ze lachte terug.

'Dat meisje... die met dat paarse haar?' Stella keek Florine vragend aan. 'Die is erg goed. Is zij de aanvoerster?'

'Julia? Nee, wij hebben nog niet echt een aanvoerster. Dat komt later pas. Juul is inderdaad goed. Pap vindt trouwens van niet, hij vindt dat ze veel te veel solo speelt. Maar ze maakt wel altijd de meeste goals.'

Stella haalde mams fiets van het slot. Zolang ze in Nederland was, mocht ze die gebruiken.

'Ze heeft veel talent, dat zie je zo. Misschien dat haar spel nog wel bijgeschaafd kan worden, maar ze heeft absoluut talent.'

Florine haalde haar schouders op. Hè jammer, ze had liever gehad dat Stella dat over háár zou zeggen.

'Maar jij speelt ook niet slecht.' Het was alsof Stella haar gedachten las.

Ze stapten op hun fietsen en reden weg.

'Mis je Australië niet?' Florine keek Stella aan.

'Ach, valt wel mee, hoor. Het is maar voor een paar weken eigenlijk, tot de storm weer overwaait...'

Florine keek snel op. 'Welke storm?'

Stella werd rood. 'Zei ik dat? Ik bedoelde dat... het stormseizoen in Australië is begonnen. Als dat voorbij is, kan ik terug.'

Wat raar, dacht Florine, want ze had toch juist gezegd dat het er zulk heerlijk weer was? Maar ze zei er niets over tegen Stella en samen fietsten ze naar huis.

6

De vader van Sofia zette de radio nog wat harder. Klassieke muziek. Julia keek verveeld uit het raam, naar het landschap dat voorbijschoot. Er was weinig verkeer op de weg, maar het was dan ook nog vroeg. Ze gingen naar een wedstrijd tegen Blauw-Wit, ongeveer een half uur rijden. Behalve Sofia en Julia zaten Pip, Florine, Emma en Daisy in de ruime auto van Sofia's vader. Florine en Daisy hadden het over een programma dat ze de avond ervoor op televisie hadden gezien, Emma en Sofia bladerden door een hockeytijdschrift.

'Wat een interessante haarkleur,' zei Sofia's vader tegen Julia.

Ze rolde met haar ogen, terwijl ze naar buiten bleef kijken. Na dertien wasbeurten was het felle paars nu een soort mat lilapaars geworden. Ze had geprobeerd het zo veel mogelijk weg te werken door haar haren te vlechten. Ze zweeg.

'Dit is een symfonie van Mahler,' zei Sofia's vader en hij wees naar de radio. 'Ken je die?'

Ze draaide haar hoofd naar hem toe. 'Nee, nooit gehoord.'

'Iedereen zou verplicht klassieke muziek moeten luisteren. Als onderdeel van je opvoeding hoort het er gewoon bij.'

Julia haalde haar schouders op. Arme Sofia, met zo'n vader. Maar zij hád tenminste een vader...

Ze beet op haar lip en keek opnieuw uit het raam.

In de rust stond het 1-1. Sanne had gescoord voor Sterrenhout. Julia was laatste man.

'Maar ik wil niet verdedigen,' had ze gezegd. 'Ik ben gewoon beter in aanvallen.'

'Kan wel zijn,' had coach Simon gezegd, 'maar iedereen moet de kans krijgen om te scoren. En alleen door te rouleren kun je erachter komen waar je echt sterke punten liggen. Jij kunt best verdedigen.'

Maar ze had al één bal doorgelaten, tot woede van haar teamgenoten.

Nu stonden ze bij elkaar langs de kant. Julia pakte de doos met appelpartjes uit haar tas en bood iedereen wat aan. Iedere week had een van hen fruitbeurt, wat inhield dat ze stukjes fruit meenamen voor tijdens de rust. Deze week waren de appels in de aanbieding geweest en dus had Julia appelpartjes bij zich.

'Wat zijn die appels al bruin!' riep de moeder van Jasmijn, die ook mee was. 'Je kunt beter geen appels meenemen, liever druiven of aardbeien of mandarijntjes. Of laat je moeder een paar van die bakjes fruitsalade kopen, dat blijft lekker vers.'

Fruitsalade! Alsof ze zich dat konden veroorloven, dacht Julia boos. Er was niets mis met appels.

'Goed meiden, even luisteren graag. Het gaat helemaal niet slecht. Maar als we nu eens een keer willen winnen, dan moeten we echt een tandje harder werken. Dus: Eva, jij wisselt nu met Florine, en Daisy, jij wisselt met Pip. Later wissel ik jullie nog een keer. Florine gaat rechtsvoor en Julia linksvoor. Emma, jij bent de voorstopper. Pip gaat rechts achterin en jij, Pleun, bent laatste man. Sanne ook achter, en Jasmijn, jij blijft keepen. Zet 'm op dames, we kunnen die winst wel gebruiken!'

De bal lag voor haar stick. Julia keek wie er vrij stond. Florine gebaarde dat zij de bal wilde hebben en Julia schoot hem naar haar toe. Jammer genoeg miste Florine hem en de verdediging van Blauw-Wit, een lang meisje met een sterke slag, sloeg de bal over het veld terug naar een van haar teamgenoten, die hem zó tussen de benen van Jasmijn door de goal in schoof.

'Verdorie, Flo! Die had je moeten hebben,' zei Julia kwaad.

'2-1 voor Blauw-Wit,' zei de spelleider en ze floot om aan te geven dat het spel kon worden hervat.

Julia kreeg de bal opnieuw te pakken, in een wirwar van meisjes en sticks. Een van de meiden van Blauw-Wit haalde uit en probeerde de bal bij Julia weg te haken. Ze raakte Julia's kuit.

'Au!' riep die kwaad en ze greep naar haar been.

De bal werd weggespeeld, maar gelukkig had de spelleider gezien dat er een overtreding was gemaakt en kreeg Sterrenhout een strafcorner.

Daisy sloeg de bal naar Julia. Die zag dat Florine opnieuw vrij stond, terwijl de voorstopper van Blauw-Wit alweer op Julia kwam afstormen.

'Speel nou naar Flo!' riep Sanne.

Julia piekerde er niet over. En weer de bal kwijtraken zeker! Ze draaide haar stick om de bal heen en sloeg er met een ferme klap tegenaan. De bal ging er moeiteloos in.

'2-2 voor Sterrenhout,' zei de spelleider.

Emma, Florine en Sanne renden naar Julia toe voor een high five.

'Yes! We staan in ieder geval gelijk.' Florine omhelsde Julia even en rende toen weer terug.

Het spel ging door. Aan de kant stonden de ouders de speelsters aan te moedigen.

'Kom op, meiden! Doorzetten!'

'Nog ééntje maar. Jullie hebben nog een paar minuten om die overwinning te behalen!'

De bal zwierf over het hele veld. Steeds als ze binnen de cirkel kwamen, dook de tegenpartij op, die hun de bal afhandig wist te maken.

Nog maar twee minuten...

Florine had de bal en keek uit naar Julia. Die stond mooi voor het doel en als ze de bal nou goed aan zou kunnen spelen, kon Juul hem er zo in meppen!

Ze pakte haar stick extra stevig vast en nam de bal mee.

'Hier, Flo!' riep Julia.

Florine sloeg de bal richting Julia. Een speelster van Blauw-Wit zette haar voet er opeens voor.

'Shoot!' riep Eva.

'Niet,' riep het roodharige meisje. 'Ik heb hem eerst met mijn stick geraakt!'

'Nietes,' zei Florine. 'Je zette gewoon je been neer om hem te stoppen!'

De spelleider aan de zijkant floot en wees naar Sterrenhout. 'Vrije slag,' bepaalde ze.

'Kom op, meiden! Die moet zitten,' riep coach Simon vanaf de zijlijn.

Florine maakte zich klaar. Julia stond naast haar en Emma schuin voor haar. De speelsters van Blauw-Wit namen positie in. Florine keek om zich heen. Julia werd gedekt door twee meiden en Emma had één verdedigster achter zich, die hinderlijk dichtbij stond.

Wat zou het geweldig zijn als zij, Flo, hem erin zou schieten. Haar vader zou beretrots zijn. En ze kon tegen Stella vertellen dat zij voor het winnende doelpunt had gezorgd.

'Sta niet te dagdromen! Speel nou,' riep coach Simon.

Ze zette haar stick tegen de bal en sloeg.

Ja, dat zou geweldig zijn!

'Super gespeeld, meiden!' Coach Simon klapte in zijn handen. Ze zaten in de kantine van Blauw-Wit. 'Gewonnen! Echt, helemaal geweldig. Als we dat vast kunnen houden, stijgen we dit seizoen misschien wel een plaatsje of twee. En dan zouden we kunnen laten zien dat de Sterren echte toppers zijn!'

Florine gloeide helemaal. Gescoord! Yes! Ze voelde nu weer wat ze zo leuk had gevonden aan hockey, hoe blij ze was wanneer ze scoorde.

Jammer dat uitgerekend vandaag haar ouders er niet bij waren geweest. Mama moest de benjamins trainen en Stella was bij Harriët gaan kijken. Morgen zou Stella haar eerste wedstrijd meespelen met Dames 1.

'Vergeet van de week niet op de website te kijken, meiden. Emma, schrijf jij deze keer een wedstrijdverslagje? En jullie mogen allemaal stemmen op de Stick van de Maand, want dit was de laatste wedstrijd van deze maand.'

Florine keek rond. Misschien dat zij dit keer wel Stick van de Maand zou worden... Ze was het nog niet één keer geweest in het afgelopen half jaar. Aan de andere kant, Julia was deze maand ook weer erg goed geweest en Pip ook. En één keer scoren was meestal niet genoeg om Stick van de Maand te worden. Maar ze hád tenminste gescoord! Ze pakte haar mobiel uit haar sticktas en sms'te haar moeder.

Gewonnen met 3-2. Ik heb gescoord!

Een uur later stonden ze op de parkeerplaats bij HC Sterrenhout.

'Tot volgende week,' riep coach Simon. 'Dan spelen we thuis tegen Geel-Groen. Florine, jij hebt de fruitbeurt. Fijn weekend allemaal!'

Iedereen verdween langzaam naar de wachtende ouders en auto's.

Simon liep achter Julia aan. 'Julia! Wacht even.'

Ze draaide zich om.

'Die nieuwe stick... heb je die nu al? Ik zag dat je steeds meer moeite krijgt met deze stick.'

'Eh... nee, nog niet.'

'Oké. Volgende week moet je een nieuwe stick hebben, anders mag je niet spelen. Niet om je dwars te zitten, maar omdat het slecht is voor je rug en je houding om zo diep te moeten bukken. Als je op hockey zit, heb je gewoon goed materiaal nodig. Zal ik je moeder anders even bellen om dat uit te leggen?'

'Nee!' Julia keek hem aan. 'Ik bedoel, dat weet ze wel, hoor. We... we zouden er vanmiddag samen een gaan kopen.' Als coach Simon haar moeder zou bellen, had ze kans dat die meteen over de contributie zou beginnen en dat Juul eraf moest. En dat wilde ze per se voorkomen!

'Dan zie ik je volgende week. Met een nieuwe stick. Goed gespeeld. Nou, prettig weekend dan maar.' Simon stak zijn hand op en verdween toen in de richting van de kantine.

Peinzend fietste Julia naar huis. Een nieuwe stick... Waar haalde ze die nou weer vandaan? Ze had zelf niet zo veel geld op haar spaarrekening. En mama wilde geen nieuwe stick kopen.

Wat kostte zo'n stick eigenlijk precies? Als ze nu eens de sportzaak binnen zou lopen en zou gaan kijken? Ze wierp een blik op haar horloge. Het was bijna half een. Mama en Nick waren vast nog op het voetbalveld. Kon ze net zo goed even langs de winkel fietsen.

Een kwartier later zette ze haar fiets in de stalling. Ze had nog steeds haar hockeytenue aan en haar sticktas bij zich en ze wandelde langs de etalages tot ze bij *Sport Out!*, de sportzaak, was.

De hockeyafdeling was achterin. Het was erg druk in de winkel. Julia liep naar het rek met de sticks.

'Kan ik je helpen?' vroeg een jongen die niet veel ouder leek dan Wizz.

'Eh… ik kijk even naar sticks. Wat ze kosten en zo.'

'Tja, dat ligt aan wat je wilt. Hout of kunststof? Met kunststof sla je harder en meestal gaan ze langer mee, maar ze zijn natuurlijk ook wat prijziger.' Hij keek naar haar en schatte haar lengte. 'Ik denk dat jij met zo'n stick...' hij reikte naar een zilveren met oranje stick '...een heel eind komt. Kunststof, goed merk. De grip is ergonomisch, en zie je hoe mooi de curve is?'

Kunststof

Er zijn verschillende soorten sticks: van hout of kunststof, zwaar of licht. Als je net begint (F-jeugd) is een houten stick prima. Vanaf de E-jeugd mag je meestal al met een kunststof stick spelen. Beginners spelen vaak met een lichte stick, omdat je dan allerlei technieken goed kunt leren en een goed balgevoel krijgt. Kies altijd een stick die lekker aanvoelt als je hem vasthoudt!

Julia pakte de stick aan en hield hem voor zich uit. Deze was mooi! Heel wat beter dan haar oude, versleten houten geval.

'En op zich niet eens zo duur, voor deze kwaliteit. Hij kost nu 89 euro.'

Julia verslikte zich bijna. Ne-gen-en-tach-tig euro?! Dat zou haar moeder nooit willen betalen!

De verkoper leek haar schrik te zien. 'Natuurlijk zijn er ook goedkopere sticks. Deze houten, bijvoorbeeld, is 45 euro. En daar is ook niets mis mee.' Hij wees naar een houten stick die een stukje verder stond.

Iemand achter hen riep hem.

'Meneer? Kunt u even helpen?' vroeg een vrouw met aan haar hand een klein jongetje. 'Mijn zoontje heeft hockeyschoenen nodig. Misschien kunt u zijn voeten opmeten.'

De verkoper keek Julia aan. 'Kijk anders gerust even rond. Als je nog vragen hebt, hoor ik het wel. Ik kom eraan, mevrouw.'

Julia bekeek nog wat sticks. Dat had eigenlijk geen zin, bedacht ze, want mam zou dat geld er nooit aan uitgeven.

Maar die zilverkleurige was wel geweldig...

Ze streelde de stick. Wat zouden de meiden opkijken als zij nu eens met zo'n mooie stick aan zou komen. Ze keek weer naar de verkoper. Die was op zijn knieën druk bezig met het strikken van de veters bij de kleuter.

Iedereen leek druk bezig.

Julia keek naar haar sticktas. Hij hing schuin over haar schouder. Als ze hem open zou doen, zou de nieuwe stick er zo in kunnen glijden. Als niemand keek...

Haar hart bonkte opeens.

De verkoper keek even naar haar op en glimlachte.

Ze knikte hem toe en deed net alsof ze aandachtig de overige sticks in het rek bestudeerde.

De kleuter moest op en neer lopen van zijn moeder. Hij liep bij

Julia vandaan en zowel de moeder als de verkoper stonden nu met hun rug naar haar toe.

Ze keek vlug om zich heen en opende toen razendsnel haar tas.

7

Julia staarde naar de grond. Aan de wand hing een klok, die tergend langzaam de seconden weg leek te tikken. De kamer was verder redelijk leeg, op een bureau en wat stoelen na. Ze schraapte haar keel, maar het branderige gevoel wilde maar niet verdwijnen.

Opeens werd het slot op de deur weer opengedraaid. Ze keek met betraande ogen op. In de deuropening stond, achter de winkelmanager, haar moeder met een van woede vertrokken gezicht.

'En daar zit de kleine dief,' zei de winkelmanager en hij liet mam binnen.

Julia staarde met een knalrode kop naar haar schoenen.

'Hoe… hoe dúrf je?' siste mam boos.

Julia slikte.

'Waar haal je het lef vandaan om te proberen een stick te stelen?'

Opnieuw zweeg Julia. Ze wist toch niet wat ze moest zeggen en ze had zich in tijden niet zo ellendig gevoeld.

'We zullen aangifte moeten doen,' zei de man van de winkel. 'Het is tenslotte een poging tot diefstal geweest. Uw dochter was vergeten dat er overal in de zaak spiegels hangen en zo konden onze medewerkers zien dat ze de stick in haar tas liet vallen. En ze was ook vergeten dat er magneetstripjes op de sticks zitten die het alarm activeren zodra je door de detectiepoortjes loopt.'

Het was absoluut een van de meest afschuwelijke momenten geweest in Julia's leven. Ze was met een bonkend hart naar de uitgang gelopen en opeens had het alarm geklonken. De rode lampjes waren gaan knipperen en alle klanten hadden opgekeken. Er was meteen een verkoopster op haar afgekomen en die had haar gevraagd of ze iets gekocht had. 'Nee,' had Julia gestameld, en de verkoopster had gezegd dat ze dan graag even in Julia's tas wilde kijken.

Bij de kassa was haar sticktas opengemaakt en daar werd de zilverkleurige stick ontdekt. Julia had de eerste tranen langs haar wangen voelen rollen en ze had vol spijt naar de verkoopster gekeken, maar die had onverbiddelijk meteen de winkelmanager erbij geroepen. Daarna was ze, terwijl iedereen om haar heen toekeek, afgevoerd naar een kantoortje achter in de zaak.

Ze had het mobiele nummer van haar moeder moeten geven en de man in tranen uitgelegd dat het haar speet en dat ze het nooit meer zou doen. Maar dat was niet genoeg, de manager had mama gebeld. Dat was twintig minuten geleden geweest en al die tijd had Julia alleen in het kamertje gezeten, huilend en boos op zichzelf.

Haar moeder keek Julia met de handen in haar zij aan. 'Ook dat nog. Juul, wat bezielde je?'

'Ik moest een nieuwe stick, want ik mag niet meespelen totdat ik een andere heb,' snikte Julia en opeens leek het alsof ze een waterval aan woorden losliet. 'En jij zei dat we geen geld meer hadden, en het ging eigenlijk vanzelf, ik wilde dit helemaal niet doen, net als dat paarse haar, dat wilde ik eigenlijk ook niet, maar het is allemaal zo stom zonder papa en jij staat altijd bij voetbal en ik had die stick in mijn handen en voordat ik erover nadacht, gleed hij in de tas en nu mag ik niet meer meedoen volgende week en misschien haal jij me wel van hockey, maar dat is het enige wat me nog aan papa doet denken en soms vergeet ik hoe zijn stem klonk en dan raak ik in paniek want ik wil niet vergeten hoe hij klonk en als ik dan hockey, lijkt het net of hij langs de kant staat en juicht en me aanmoedigt en deze stick was echt heel mooi!' huilde ze. 'En ik groei gewoon!'

Het werd opeens stil in het kantoor. De man schraapte zijn keel. Mam liep naar Julia toe en knielde voor haar neer. Julia's tranen bleven stromen en ze schokschouderde.

Mam pakte haar zwijgend vast en hield haar tegen zich aan. Ze streelde Julia's haren. 'Ach, meisje...' mompelde ze steeds maar weer met verstikte stem. 'Ach, meisje toch...'

De winkelmanager stond zwijgend toe te kijken.

Na een poosje zei hij: 'Tja, het is natuurlijk de eerste keer dat ze iets gestolen heeft. Tenminste, dat zei ze.'

'Dat is ook zo...' Julia had overal in haar gezicht rode vlekken. 'Dat is echt zo en het spijt me zo enorm!' Ze begroef haar gezicht weer in haar moeders hals.

'Hm. Jongedame, ik hoop dat je begrijpt dat wat je gedaan hebt, echt vreselijk fout is. Ik zou eigenlijk aangifte moeten doen. Als ik je ooit nog betrap op zoiets, doe ik dat wel, hoe zielig je verhaal ook is. Ik wil je voorlopig niet meer in deze zaak zien. Wat mij betreft kun je gaan. Enne, de volgende keer zijn we dus niet zo aardig, maar halen we de politie erbij. Begrepen?'

Julia knikte.

Mam stond op en keek de man aan. 'Bedankt, dat u haar niet aangeeft. Ik denk dat wij thuis eens een goed gesprek moeten hebben, Julia. En een passende straf bedenken. Kom, we gaan. Nogmaals' – ze stak haar hand uit naar de winkelmanager – 'bedankt voor uw begrip. En mijn excuses voor het gedrag van mijn dochter.'

Stella scoorde meteen in de eerste vijf minuten. Florine juichte en sprong op en neer.

'Die meid kan spelen, zeg!' riep haar vader bewonderend. Hij had een klein aantekenboekje bij zich en schreef ondertussen van alles op. 'Opletten hoor, Florine en Harriët. Daar kunnen jullie nog veel van leren.'

Florine leunde tegen het hek en keek naar de hockeysters op het veld. Er werd vreselijk hard tegen de bal gemept en hij ging ook met regelmaat hoog. Stella had haar eigen sticks bij zich, prachtige kleurrijke sticks van merken die Florine niet kende. Ze had haar blonde haren vastgezet met clips en was een opvallende verschijning met haar bruine benen en armen tussen al die andere speelsters van Dames 1. Er was veel publiek en het zonnetje scheen waterig door de wolken.

'Haar backhand is geweldig! En haar lange passes... Waanzinnig! Ik ga haar vragen of ze die mij ook wil leren.'

Binnen drie minuten scoorde Stella opnieuw. Het publiek werd uitzinnig en Florine sprong omhoog. 'Yeah! Super, Stella,' gilde ze. Wauw! Als zij zo kon spelen... dromerig keek ze uit over het veld.

Het werd uiteindelijk 5-3 voor de Dames 1 van Sterrenhout. Stella had drie goals gemaakt en had de tweede helft uitgezeten.

'Jammer dat ze niet altijd hier kan spelen,' mijmerde Harriët. 'Dan zou Sterrenhout gewoon helemaal boven aan de competitie komen. Geen wonder dat ze misschien wel in het Australische nationale team gaat spelen. Ik snap eigenlijk niet,' Harriët haakte haar arm door die van haar moeder terwijl ze met z'n vieren naar de kantine liepen, 'waarom ze hier komt trainen. Ze leert hier toch helemaal niets nieuws?'

Florine zag hoe haar ouders elkaar veelbetekenend aankeken. Harriët had het niet gezien en ging door. 'Wij leren eerder van haar dan andersom, denk ik. En wat een smash, zeg! En zag je haar...'

Al pratend liepen ze verder. In de kantine stond Stella met een paar meiden bij de bar. Er dromden wat mensen om haar heen, die haar feliciteerden met de overwinning. Er verdrongen zich ook een paar spelers van Heren 1 rond haar. Stella lachte.

'Wauw!' Florine wurmde zich een weg naar Stella toe. 'Jij was echt goed! Ik wou dat ik zo kon spelen.'

'Ja, daar kun jij nog wat van leren, jongedame,' zei haar vader, die nu ook bij hen stond.

Florine zuchtte. Waarom gaf hij haar nu altijd het gevoel dat zij het fout deed? Hij was de dag ervoor wel trots op haar geweest toen ze vertelde dat ze gewonnen hadden én dat zij gescoord had, maar had het toch niet kunnen laten om erbij te zeggen: 'Nou, het zou fijn zijn als je iedere week zo zou spelen.' Natuurlijk zou dat fijn zijn, maar het maakte de blijdschap op de een of andere manier meteen een stuk minder.

Mam kwam er ook bij en omhelsde Stella even. 'Goed hoor! Fijn dat je je zo goed kon concentreren, na... alles.'

Stella glimlachte en haalde haar schouders even op. Ze legde een hand op Florines arm. 'Ik wil je morgen wel een beetje coachen hoor, als je dat leuk vindt?'

Florine knikte.

'Wat ik nou toch hoor,' zei mam en ze leunde naar voren. 'Ik sprak net een van de moeders van de kindjes die ik lesgeef, de moeder van Pieter, en die vertelde me dat ze gisteren in de *Sport Out!* een meisje van Sterrenhout zag dat een hockeystick wilde stelen. Ze probeerde hem in haar tas mee te smokkelen. Het moet niet gekker worden.'

'Hoe weet ze dat het een meisje van Sterrenhout was?' vroeg Florine.

'Ze had het tenue van Sterrenhout aan.'

'Wauw! Dan ben je wel stom,' riep Florine uit. 'En toen? Is ze door de politie opgepakt? En wie was het?'

'Ze is wel betrapt, maar de moeder van Pieter heeft geen politie gezien. En wie het was, weet ze niet, ze kende het meisje niet. Ze dacht dat ze ergens tussen de elf en vijftien jaar moest zijn of zo.'

Jee! Florine beet op haar lip. Misschien wel iemand die zij kende! Wat ontzettend stom... Wie ging er nou iets uit een winkel stelen? Maar ze had wel een primeur morgen op school!

8

Julia leunde over het stuur van haar fiets. Ze had totaal geen zin in school vandaag, zeker niet na zo'n weekend... Ze had nog steeds hoofdpijn en buikpijn, maar thuisblijven kon ze wel vergeten.

Hoe had ze zo vreselijk stom kunnen zijn? Ze kreunde en voelde de misselijkheid weer terugkomen.

Zaterdag had haar moeder haar zwijgend mee naar huis genomen. Daar was Julia blij om geweest, dat ze niet meteen was gaan schelden en vloeken en tieren. Maar toen de stilte uren later nog aanhield, werd Julia er onrustig van. Haar moeder leek ver weg met haar gedachten. Uiteindelijk had ze Julia tegen de avond bij zich geroepen en Vlinder en Nick naar de friettent gestuurd om eten te halen. Die wisten beiden van niets, hoewel

Nick wel even een opmerking tegen Julia had gemaakt.

'Hebben jullie ruzie gehad of zo? Jullie zijn zo stil tegen elkaar.'

Julia had tranen in haar ogen gekregen en had zich snel omgedraaid. Nick had zijn schouders opgehaald en was naar de keuken gelopen.

'Ga even zitten. We moeten het er toch over hebben,' had mam gezegd, terwijl ze naar een stoel wees.

Julia was gaan zitten. Ze had zich ellendig gevoeld, de hele middag al, sinds ze betrapt was. Kon ze dat moment maar terugdraaien... was ze maar nooit de sportzaak in gelopen!

'Ik ben enorm geschrokken vanmiddag...' begon mam. 'En eerlijk gezegd, Juul, weet ik ook niet goed hoe ik hiermee om moet gaan. Papa zou dat wel geweten hebben, denk ik, maar ik niet. Ik ben zo vreselijk kwaad op je, maar ik realiseer me ook dat je het niet zomaar gedaan hebt. Je hebt ontzettend veel geluk gehad dat de politie er niet bij is gehaald. Als die man ze vanmiddag wel had gebeld, had je dus gewoon voor de jeugdrechter mogen verschijnen.'

Julia keek naar het tafelblad en trok met haar nagel wat lijntjes en groeven in het hout na.

'Ik weet dat je me vorige week hebt verteld dat je een nieuwe stick nodig hebt, maar dit is niet de manier. Je kunt niet zomaar, op het moment dat jij iets nodig hebt wat wij niet kunnen betalen, het je toe-eigenen. Dan is het einde zoek en zo werkt het niet.'

Mam had even gezwegen.

'Je gaat van hockey af,' had ze toen gezegd en de wereld was stil komen te staan.

'Wat... wat zeg je?' had Julia gestameld.

'Dat is je straf. Je gaat van hockey af. Het lijkt me vrij simpel. Dat gehockey van jou kost te veel en bovendien ga jij er rare dingen door doen, zoals vanmiddag. Ik zal je coach bellen en zeggen dat je eraf gaat. Ik zal ook uitleggen waarom,' besloot haar moeder.

'Nee...' begon Julia te huilen, en steeds luider: 'Nee! Nee! Mam, dat kun je niet doen! Ik wil niet van hockey af,' gilde ze ten slotte.

'Je hebt geen keus. Wíj hebben geen keus.' Mams stem klonk rustig, vriendelijk zelfs. 'Misschien dat je volgend jaar terug kunt, als we alles weer op de rit hebben hier, maar voorlopig ga je eraf.'

'Nee!' gilde Julia kwaad en machteloos. 'Dat is zo oneerlijk.'

'Dat zie je verkeerd. Stelen, dat is oneerlijk. Juul...' Mam probeerde haar te kalmeren. 'Ik snap best dat dit je zwaar valt, maar het is voor mij ook moeilijk. Ik begrijp echt wel heel goed hoe belangrijk hockey voor je is, en ik begrijp nu ook dat het je het gevoel geeft dat je nog dicht bij papa bent... Maar we kunnen het nu niet betalen en ik wil geen herhaling van wat zich vanmiddag heeft afgespeeld en...'

'Ik zei toch dat het me speet? Ik zal het nooit meer doen, maar je mag me niet van hockey af halen!'

Op dat moment was de voordeur opengegaan en waren Nick en Vlinder binnengekomen met een zak friet en frikandellen.

'Wat is er?' vroeg Vlinder en ze keek naar het betraande gezicht van Julia.

'Niets!' gilde Julia. 'Alles!'

Nick had ongemakkelijk van Julia naar mam gekeken.

'Ik heb Julia zojuist verteld dat ze van hockey af gaat,' had mam gezucht.

Nick had haar met grote ogen aangekeken. 'Hè? Maar waarom dan?'

'Om... er is even geen geld voor. Het is misschien maar voor een half jaar of zo. Of een jaartje.' Mama's stem klonk al een stuk minder zeker.

'Maar Juul vindt hockey zo leuk! En ze is er supergoed in. Veel beter dan ik in voetbal,' had Nick verontwaardigd geroepen. 'Moet ik ook van voetbal af dan?'

'Nee, dat hoeft niet, want...'

'Dit is zo oneerlijk!' huilde Julia.

'...want voetbal kost een fractie van wat hockey kost. En er is nog iets gebeurd...' mam had Julia waarschuwend aangekeken, '...waarom Juul eraf gaat. Als Julia dat wil vertellen, mag ze het zelf doen. Het is heus niet alleen het geld. Er speelt nog iets, maar Julia mag zelf bepalen of ze dat wil vertellen of niet. En nu wil ik er helemaal niets meer over horen!' had mam gezegd en ze had de zak friet opengescheurd. 'We gaan eten voordat alles koud is. Vlindertje, pak jij de mayo uit de koelkast? En wie haalt de schaal met sla, die ik op het aanrecht had gezet?'

Julia had dof naar de tafel gestaard. Er was, zo wist ze, niets aan te doen. Ze had totaal geen honger gehad. Moeizaam had ze wat gegeten. En ze had pap meer gemist dan ooit.

Later die avond, toen mama Vlinder naar bed bracht, kwam Nick naast haar zitten. 'Wat was dat nou allemaal?' vroeg hij zacht.

Julia haalde haar schouders op. Ze wilde – nee, ze kon – hem niet vertellen dat ze gestolen had.

'Hé Juul, als je erover wilt praten, dan hoor ik het wel. Ik snap ook best dat je het niet eerlijk vindt dat ik gewoon op voetbal mag blijven. Ik weet niet wat er gebeurd is vanmiddag, maar het moet nogal heftig zijn geweest. Balen joh, van hockey...'

Julia had geknikt. En Nick had even zijn hand op haar arm gelegd.

Nu zat ze voorovergebogen over haar stuur. Gisteren was er niets meer gezegd over hockey of het incident in de sportwinkel. Wel had mam opeens gevraagd hoe het op school ging. En of Julia zin had om samen met haar een potje scrabble te spelen.

Wat zou ze zonder hockey moeten doen? Ze slikte de brok in haar keel weg. Niet aan denken. Niet aan denken, hield ze zichzelf voor en ze trapte tegen de wind in verder.

Het was pauze en Florine, Julia, Pip en Sanne stonden op het schoolplein.

Florine keek haar vriendinnen samenzweerderig aan. 'Hebben jullie het al gehoord?'

'Wat?' Pip nam nog een slokje van haar drinken.

'Afgelopen zaterdag is een meisje van Sterrenhout betrapt bij het stelen van een hockeystick en een hockeytas,' vertelde Florine haar nieuwtje.

'Nee!' riep Sanne verontwaardigd uit. 'Dat meen je niet.'

'Ja!' Florine knikte alsof ze er alles vanaf wist. Ze had niet in de gaten dat Julia knalrood werd en snel haar gezicht afwendde. 'Serieus!' Dat van die hockeytas wist ze eigenlijk niet zeker, maar wat maakte het uit? Het was iets met een hockeytas geweest. En het klonk wel heel erg.

'Belachelijk,' riep Pip uit. 'Dat doe je toch niet?!'

'Nee,' Julia schraapte haar keel, 'dat doe je inderdaad niet.'

'Hoe weet jij dat trouwens?' vroeg Pip aan Florine.

'Mijn moeder heeft het gehoord. Een van de benjamins die zij traint was ook in die winkel die dag en... Gaat het, Juul?'

Julia had zich prompt verslikt en hoestte met rood aangelopen gezicht. 'Ja... Er schoot wat drinken verkeerd, denk ik... Het gaat wel weer.' Julia rechtte haar rug en veegde een traan weg die door het hoesten uit haar oog liep.

'Gelukkig. Maar die moeder dus, van die benjamin, die heeft het gisteren aan mijn moeder verteld. Mijn vader zei dat als het bestuur erachter komt wie het is, ze uit de club gezet gaat worden!'

'Jee! Heftig hoor. Wie zou het zijn?' Sanne gooide haar lege sappakje in de vuilnisemmer.

'Dat weten ze niet. Maar die man van de sportwinkel vast wel! En dan kan mijn vader dat bij hem gaan vragen en...'

Julia schraapte haar keel. 'Hoe gaat het trouwens met die Australische bij jullie?'

'Stella?' Florine leek even van haar stuk gebracht door de vraag. 'Goed. Super eigenlijk. Ze speelde gisteren voor het eerst mee en ze scoorde drie keer! Echt niet normaal. Vanmiddag na school wil ze me wel gaan trainen. En ze heeft zulke mooie hockeysticks, echt waanzinnig. Van die Australische merken die wij niet kennen. Ik heb gevraagd of ze er een voor mij wil kopen en hem op wil sturen als ze terug is, en dat zou ze doen.'

'Lijkt me zo leuk om een hockeytopper te logeren te hebben,' verzuchtte Pip. 'En nu heb jij er twee!'

'Twee?'

'Ja, je zus. Die is toch ook zo goed?'

'O. Ja, Harry is ook goed. Niet zo super als Stella, maar wel goed. Ik denk dat Harry nog wel eens op nationaal niveau zou kunnen gaan spelen.'

'Lijkt me geweldig, zo'n zus!' Pip glimlachte.

Dat is het niet, wilde Florine zeggen. Want je kwam nooit, maar dan ook nooit uit haar schaduw. Maar de bel ging en iedereen rende weer naar binnen.

Na school liepen Florine en Julia samen naar hun fietsen.

'Waarom ga je niet mee?' vroeg Florine opeens. 'Trainen met Stella?'

Julia beet op haar lip. Ze zou niets liever willen. Maar ze moest van hockey af. Dus wat had het voor zin?

'Nah,' zei ze zogenaamd verveeld, 'geen zin. Ik, eh... ik ga van hockey af.'

'Wat?!' Florine liet van schrik haar fietssleutel vallen.

'Ja, vind er niks meer aan. Beetje met een stok tegen een balletje slaan naar iemand die een of ander michelinmannetjespak aanheeft,' loog ze.

'Dat kan ik gewoon niet geloven,' riep Florine uit en ze staarde verbijsterd naar haar vriendin. 'Jij bent verschrikkelijk goed in hockey. En je vindt het altijd leuk!'

'Nah...' Julia schudde haar hoofd. 'Dat... dat leek misschien zo. Maar nu mijn vader er niet meer is, vind ik hockey ook veel minder leuk. Het was eigenlijk meer zijn ding dan het mijne.' Ze slikte en draaide haar rug naar Florine toe, zodat die niet zou zien dat Julia tranen in haar ogen had.

'Goh...' Florine leek er stil van. 'Het zal stukken minder goed gaan met ons team als jij weg bent...'

9

'Oké, en nu je stick zó vasthouden,' zei Stella en ze ging naast Florine staan. Ze greep haar stick beet. 'Je hebt je handen te ver uit elkaar, dan kun je niet genoeg kracht zetten. En je voeten moet je zo plaatsen, kijk. De ene voet achter de andere. Zo ben je heel stabiel en ook dat zorgt voor meer kracht.'

Florine pakte de stick vast zoals Stella het haar voordeed. Ze sloeg tegen de bal, die opeens veel lichter aanvoelde. 'Hé! Het werkt,' riep ze uit en ze keek naar de bal, die over het veld vloog.

Stella lachte. 'Natuurlijk werkt het! Dit oefenen we nu een poosje. Ik ga je steeds proberen weg te duwen, maar jij moet tegendruk geven, oké? Leer voelen hoe je stabiel kunt staan. Eigenlijk moet je dit met blote voeten doen.'

'Ja, hallo. Dat doet megapijn als je er dan een bal of stick tegenaan krijgt!' Florine keek geschrokken naar Stella.

Links boven
Je houdt je stick vast met je linkerhand boven en je rechterhand onder. Je linkerhand houdt de stick stevig vast en daarmee draai je ook de stick als dat nodig is. Je rechterhand plaats je losjes eronder; de stick moet kunnen bewegen.
Je rechterhand geeft als het ware de richting van je stick aan.

'Nee! Dat bedoel ik niet. Gewoon. Op blote voeten gaan staan zoals je staat bij hockey en dan probeer ik je omver te duwen. Je voelt dan hoe je voeten contact maken met de aarde en hoe je ze het best neer kunt zetten. Dus hup, schoenen uit!'

Ze trokken allebei hun schoenen uit.

Het gras kriebelde aan Florines tenen.

'Oké, nu eerst goed voelen hoe je staat. Dat gaat het best als je je ogen dichtdoet.'

Stella deed het voor.

Florine giechelde even, maar sloot toch haar ogen.

'Nu moet je je concentreren op je voeten. Je moet ieder grasprietje voelen. En je moet je voorstellen dat er uit je voeten wortels groeien, de grond in. Die zorgen ervoor dat je stevig staat. Je bent een boom, Florine, een enorme, stevige boom en niemand krijgt je omver!'

Florine gluurde even met één oog. Gelukkig dat er verder niemand in de buurt was! Ze sloot haar ogen en stelde zich voor dat er wortels uit haar voeten de grond in gingen, precies zoals Stella vertelde. Ze was een boom.

Na een paar minuten mocht ze haar ogen weer opendoen. Ze trokken hun schoenen aan en pakten hun sticks en de bal.

'En nu moet je denken aan hoe het voelde om met je voeten in het gras te staan, om wortels te hebben en niet om te kunnen vallen,' zei Stella en ze duwde tegen Florine aan.

Het werkte! Florine stelde zich voor dat ze wortels aan haar voeten had en ze hield controle over de bal. 'Yes!' riep ze, toen ze na een half uur stopten met de training. 'Na zo'n tackle was ik de bal normaal gesproken allang kwijt geweest.'

'Ja, maar je bent beter dan je denkt, hoor,' zei Stella. 'Je moet alleen iets meer in jezelf geloven.'

'Hm,' mompelde Florine.

'Hoezo hm?' Stella keek haar aan en zette haar handen in haar zij.

'Nou, mijn ouders geloven al niet in me. Waarom zou ik dat dan wel doen? Ik ben gewoon niet zo goed, zeker niet zo goed als Harriët.'

'Dat hoeft toch ook niet? Harriët is goed op haar manier, jij op de jouwe. En wat je ouders betreft: het gaat erom dat jij in jezelf gelooft. De rest is niet belangrijk. Want als jij zelf niet gelooft dat je goed kunt hockeyen, zul je anderen nooit kunnen overtuigen.'

Florine dacht even na. 'Misschien...' aarzelde ze.

'Nee, dat is echt zo. Er is maar één persoon die in Florine van Senhoven hoeft te geloven en dat is Florine van Senhoven zelf!'

Florine grijnsde. Ja, dat was misschien wel zo.

'Ik geloof,' vervolgde Stella, 'heel erg in mezelf. En er is een groot verschil tussen verwaand zijn en jezelf beter vinden dan anderen, en gewoon in jezelf geloven. Als ik niet in mezelf geloofde, was ik nooit zo ver gekomen. Zeker nu niet...' mompelde ze erachteraan.

'Wat bedoel je?' Florine ging naast Stella in het gras zitten. De lentezon scheen en ze sloot een moment haar ogen.

Stella bleef even stil en keek Florine toen ernstig aan. 'Ik geloof dat ik een van de beste spelers van Australië kan worden. Of zelfs dat ik dat al ben. Alleen probeert iemand me zwart te maken. Door verhalen te vertellen die dan weer in tijdschriften en kranten terechtkomen. Over dat ik niet goed kan hockeyen en zo.'

'O! Dat is vals! Waarom doet die persoon dat dan?'

Australië

In het oude Perzië bestond al een spel waarbij met een stok tegen een bal werd geslagen, alleen zaten de spelers op paarden. Omdat niet iedereen zich een paard kon veroorloven, werd het ook zonder paard gespeeld. Uiteindelijk is hieruit het moderne hockey ontstaan. Australië is overigens echt een hockeyland, ze behoren tot de top van de hockeywereld.

'Omdat...' Stella haalde haar schouders op. 'Ach, het is ingewikkeld. Het heeft te maken met haar zogenaamde vriendje. Of althans, met een jongen van wie ze graag zou willen dat hij haar vriendje was. En ze wil gewoon niet dat ik in de Australische selectie kom. Daarom verspreidt ze allerlei roddels en leugens over mij. Het is ook de reden dat ik nu hier ben. Zodat ik even kan ontsnappen aan de paparazzi.'

'De wattes?' Florine trok een grasprietje uit de grond.

Stella lachte. 'Paparazzi. De roddelpers, allerlei fotografen.'

'Hè? Heb jij die dan achter je aan in Australië?'

Stella knikte. 'Ja. Al een tijdje. En omdat ik zo niet langer goed kan spelen – altijd maar fotografen die om het speelveld heen hangen – ben ik hierheen gekomen. Even een poosje onderduiken, zeg maar. Om tot rust te komen.'

Florine keek Stella vol bewondering aan. Dat ze dat allemaal tegen haar, Florine, vertelde!

'Straks vinden ze je nog!' zei ze. 'En dan komen al die papadinges hierheen.'

Stella glimlachte. 'Nou, die zullen echt niet bedenken dat ik in Nederland ben. Niemand, behalve mijn ouders, weet van mijn verblijf hier. Ik bedoel, Nederland is zó ver weg! Het is voor ons aan het andere eind van de wereld. Nee, die zie ik niet zo snel hiernaartoe komen. Ik voel me behoorlijk veilig hier!'

10

'Ik heb coach Simon gesproken,' zei haar moeder terwijl ze de vaatwasser aanzette.

Julia zat aan de keukentafel huiswerk te maken. Haar pen haperde boven haar sommen. 'O...'

'Ja, ik heb uitgelegd dat je van hockey af gaat. Hij vond het bijzonder jammer.'

Julia's hart ging sneller slaan. 'Je hebt toch niks gezegd over...?'

'Over afgelopen zaterdag? Nee, dat heb ik niet. Wel dat we het ons nu niet kunnen veroorloven. Dat zou hij voor zichzelf houden. Je hoeft niet bang te zijn dat de andere teamleden daarachter komen. Hoe dan ook, hij vindt het echt jammer dat je ermee stopt.'

Dat ik ermee moet stoppen van jou, wilde Julia zeggen, maar ze hield haar mond. Ze slikte een brok weg.

Nu was ze van hockey af. Geen trainingen meer. Geen wedstrijden. Geen gegiebel in de auto naar een uitwedstrijd toe. Nooit meer dat geweldige gevoel als ze scoorde. Zonder dat ze het in de gaten had, drupten er tranen op haar schrift.

Mam legde een hand op haar schouder. Julia schudde hem af.

'Ik begrijp best dat het even moeilijk voor je is. Maar het gaat zo niet langer. Ik denk erover een extra baantje te nemen. Om de eindjes beter aan elkaar te kunnen knopen. En als Nick nu ook een krantenwijk pakt, komt er weer wat meer geld binnen. En misschien kun je dan volgend seizoen terug op hockey!' zei haar moeder opgewekt.

Julia slikte. Ze wisten allebei dat dat niet zou gebeuren. Maar ze knikte. 'Ja, misschien...' zei ze zacht.

'Julia eraf? Nou zeg...' Florines vader schepte nog wat rijst op. 'Dat verbaast me ergens wel. Of ook weer niet. Vond het nou niet echt een typisch hockeygezin.'

'Pap!' Florine keek haar vader boos aan. 'Wat een onzin. Dat is belachelijk, wat is nou weer een typisch hockeygezin? En waarom is dat van Juul dat niet?'

'Nou...' Haar vader kreeg rode vlekken in zijn gezicht en keek zijn dochter even streng aan. 'Een beetje rustig, jongedame. Er is echt wel zoiets als een hockeygezin. Dat is een gezin waar iedereen om hockey geeft, erin geïnteresseerd is, waar het al generaties lang gespeeld wordt. Julia komt uit een... ander soort gezin.'

'Dat maakt haar echt nog niet minder, hoor!' riep Florine kwaad.

'Zeg ik dat dan?'

'Ja. Niet met zo veel woorden, maar wel hoe je het zegt. En voor ons is het super jammer dat ze weg is, want ze kon megahard slaan en scoren!'

'Ja, maar Florine, denk nou na!' Pap legde zijn lepel hard naast zijn bord op tafel. 'Ze verfde haar haren paars – ik bedoel, wie doet dat nou? Ze is aan het ontsporen, dat zie je zo.'

'Omdat ze haar haren een kleurtje geeft, ontspoort ze? Dat is stom, pap.'

'Sinds haar vader dood is, gaat het gewoon stukken minder met dat gezin, dat kan niemand ontkennen.' Pap werd steeds roder.

Florine keek naar haar moeder. Die had een diepe denkrimpel in haar voorhoofd.

Ook Harriët zag het. 'Mama! Niet zo fronsen. Straks moet je nog botox gebruiken,' lachte ze.

'Ik bedenk net iets...' zei mam peinzend. 'Ik ben het niet helemaal met je eens, Pieter, want ik vind Julia een lief kind. Een goede speelster. En dat ze haar haren geverfd heeft – ach, ik doe niets anders. Alleen gebruik ik een minder opvallende kleur.' Ze wees naar haar blonde haren.

'Wat denk je dan?' vroeg Florine en ze stak een stukje gebakken vis in haar mond.

'Ik vraag me af waarom ze nu opeens van hockey af gaat. Ze is er erg goed in en voor zover ik het langs de lijn heb kunnen zien, vindt ze hockey geweldig. Zou het... nee, dat mag ik niet eens denken!'

'Wat? Wat dan, mam?'

'Nou ja, als je belooft het er verder met niemand over te hebben. Zou zij degene zijn geweest die zaterdag betrapt is? In die sportwinkel?'

Het werd stil aan tafel. Florine liet haar vork zakken. Harriët at nadenkend en Stella keek vragend naar Florine.

'Dat was toch dat meisje van wie ik zei dat ze zo veel talent had?' vroeg Stella haar.

'Ja, die. Ze vertelde me vanmiddag na school dat ze ging stoppen met hockey en nu heeft de coach iedereen gemaild dat Julia ermee opgehouden is,' beaamde Florine.

Ze dacht na over de woorden van haar moeder. Juul? Een dief? Ze kon het zich gewoon niet voorstellen.

'Zou je echt denken... ik bedoel, Julia?' Florine keek haar moeder aan.

'Zeker weten doe ik het niet. Maar het is wel raar. Een meisje in de leeftijd van Julia wordt betrapt op diefstal en twee dagen later gaat Julia van hockey af, terwijl ze altijd enorm fanatiek was.'

'Maar wel een solospeler,' zei haar vader. 'Ze vergat altijd dat er nog zeven meiden in het veld stonden. Dus ik vind het niet zo'n ramp, hoor. Nu kunnen de andere spelers zich beter gaan ontplooien.'

'Julia is geen dief,' riep Florine opeens uit. 'Dat kan gewoon niet!'

'Liefje, ik zeg ook niet dat het zo is,' zei mam, 'maar dat het wel zou kunnen. Dat mag je alleen nooit zeggen, want het is iets wat we niet zeker weten.'

'Nee! Julia is mijn vriendin. Ze is geen dief. Ze zei dat ze er niets meer aan vond, aan hockey. Nou, dat kan toch? Ik vind er soms ook niets aan,' flapte ze eruit.

'Jij?!' riep haar vader.

'Jij?' echode mam.

Florine werd rood. 'Ja, nou… soms. Dan is het minder leuk.'

'Maar dat kan niet,' lachte pap. 'Je bent een Van Senhoven! Die zijn gek op hockey.'

Florine keek hem boos aan. 'Dat bedoel ik nou, pap. Het is voor jou ondenkbaar dat een Van Senhoven hockey soms misschien minder leuk vindt.'

'Hockey is de leukste sport die er is!' riep Harriët uit. 'Hoe zou je het nou niet leuk kunnen vinden? Ik wil iedere dag wel op het veld staan.'

'Ja, maar ik ben jou niet,' riep Florine uit. Verdorie, waarom was het nou zo moeilijk om uit te leggen wat ze bedoelde? 'Ik ben gewoon ik. En ik vind hockey niet altijd even leuk. Soms is het gewoon stom!'

Het werd stil aan tafel.

'Tja… in dat geval,' zei haar vader koeltjes, 'is misschien wel de verkeerde speelster gestopt.' Hij schoof zijn stoel naar achteren en deelde met afgemeten stem mee: 'Ik heb nog een vergadering van het hockeybestuur. Ik moet weg.' Hij liep de kamer uit en de stilte aan de eettafel werd nogal ongemakkelijk.

'Nou, geweldig hoor,' siste Harriët, 'je hebt hem gewoon gekwetst. Je weet toch dat hockey zijn leven is?'

Florine kromp ineen.

Haar moeder beet op haar lip en keek naar haar. 'Nou, kom. Wie haalt de toetjes?' vroeg mam en ze begon de borden op elkaar te stapelen.

Florine zat in de televisiekamer achter de pc. Stella was mee naar Harry's training en mam zat in de woonkamer de krant te lezen. Naast de woonkamer was de televisiekamer, waar een groot plasmascherm aan de muur hing en waar ook een computer stond. Florine mocht nog geen laptop hebben, zoals Harriët, omdat haar ouders wilden kunnen zien wat ze uitspookte op de computer. Ze vond het best, want het was wel zo gezellig om beneden te zitten.

Ze had haar Hyvespagina bijgewerkt en wat clipjes bekeken. Ze was nog even naar haar Stardollpagina gegaan en had haar avatar aangekleed en nu zat ze naar het scherm te staren. Op MSN was niemand online.

Hoe zou Stella's team in Australië er eigenlijk uitzien? Hé, dat kon ze natuurlijk gewoon opzoeken! Ze googelde Stella's naam, maar er waren wel meer Stella Stevensons, want ze kreeg onmiddellijk 13.457 pagina's die aan haar zoekopdracht voldeden.

Er moest dus meer bij. Het woordje 'hockey' dan.

Nu zag ze meteen een paar links die verwezen naar de hockeyclub van Stella. Ze klikte op een ervan.

Het was een algemene hockeypagina met clubs uit heel Australië.

Florine klikte een paar andere sites aan en kwam uiteindelijk terecht op de site van Stella's team. Wat leuk! Ze zag Stella onmiddellijk, zongebruind, in een kort wit rokje en een roze shirt. Alle meiden zagen er zo cool uit. Florine probeerde de artikelen te lezen die op de pagina stonden, maar haar Engels was nog niet echt geweldig. Ze las Stella's naam in een aantal nieuwsberichten, maar begreep niet wat er stond.

Er was ook een gastenboek. Ze klikte erop. Allemaal berichten in het Engels. Ze zag opnieuw een paar keer de naam 'Stella'.

Even haperden haar vingers boven het toetsenbord.

Ze moest eerst haar eigen e-mailadres intypen. Daarna kon ze een berichtje achterlaten. In haar beste Engels schreef ze: *Stella is good! She learning me to play hockey this day. Greetjes, Flo.*

Zo! Best geinig, dat ze nu op een Australische website stond. Zo kon ze laten zien dat zij Stella, de sterspeelster, ook kende.

Onder aan het scherm lichtte opeens Sannes naam op. Gelukkig! Toch nog iemand op MSN. Ze chatte nog een kwartiertje en sloot toen af om samen met haar moeder naar haar favoriete soap te gaan kijken.

Ze lag met haar hoofd tegen haar moeders schouder op de bank.

'Flootje...' Haar moeder keek haar even aan. De soap was onderbroken voor een reclameblok. 'Dat wat je aan tafel zei... vind je hockey echt niet leuk?'

Florine plukte aan een draadje van haar vest. 'Soms.' Ze haalde haar schouders op.

'Hoe komt dat?'

'Omdat...' Florine zocht even naar woorden. 'Nou, weet je, pap kan zo boos zijn als ik het niet goed doe. En ik ben gewoon niet zo goed als Harry. Maar dat verwachten jullie wel. En dan is het soms niet leuk meer. Omdat ik het nooit zo goed zal kunnen als zij.'

Mam bleef even stil. 'Is dat echt zo? Zitten wij je zo op je kop? Jee, daar heb ik nooit zo over nagedacht. We bedoelen het niet rot, hoor. Maar misschien heb je gelijk, misschien zijn we wel erg fanatiek...'

'Ja. En ik ben gewoon Harriët niet. Het is háár grote droom om ooit op de Olympische Spelen te staan – maar niet de mijne, mam.'

'Het was ook je vaders droom. Ooit.' Mam boog zich naar de tafel toe en pakte haar mok thee.

'Wat? Dat ik naar de Olympische Spelen ga?'

'Nee, gekkie. Hijzelf! Papa heeft vroeger ook op echt hoog niveau gehockeyd. En toen werd hij voor de Olympische Spelen geselecteerd. Papa was... o, ik denk dat hij negentien of twintig was...'

Kampioendames!

De eerste Olympische Spelen waaraan Nederland meedeed met een hockeyteam waren die van 1928, toen de Olympische Spelen in Nederland zelf werden gehouden. Nederland werd toen tweede. Dat was overigens een herenteam; vrouwenteams doen pas vanaf 1980 mee aan de Olympische Spelen. Bij de Olympische Spelen van 2008 wonnen de Nederlandse dames goud!

'Hè? Dat heeft hij nooit verteld.' Florine trok het draadje los.

'Hé, geen gaten in je kleren maken! Nee, dat klopt. Papa vindt het moeilijk om erover te praten. Want uiteindelijk ging hij niet mee. Hij raakte kort voor de Spelen zwaar geblesseerd. In een hele felle wedstrijd scheurde hij zijn enkel- en kruisbanden. En toen mocht hij een half jaar lang niet sporten. Daarna heeft hij nooit meer het topniveau gehaald dat hij daarvoor had en werd dus ook nooit meer geselecteerd.'

Wat zielig eigenlijk! Florine beet op haar onderlip.

'Om die reden wil hij erg graag dat jullie goed zijn in hockey. Hij wil eigenlijk het liefst dat een van jullie naar de Olympische Spelen zal gaan, dan komt zijn droom toch nog een beetje uit. Maar dat is natuurlijk ook weer niet helemaal eerlijk. Zo wordt de druk op jullie beiden om supergoed te spelen wel erg groot. En dat kan niet de bedoeling zijn. Ook niet van je vader.'

'Maar dat doet hij wel... Hij heeft het altijd over hoe dingen beter kunnen, hoe ik de stick lager moet houden of juist hoger, en hoe ik harder moet slaan of juist zachter... en dan is de wedstrijd helemaal niet leuk meer.'

Het reclameblok was afgelopen.

'Tja, ik begrijp het. Ik zal eens met je vader praten. Maar ik hoop dat jij nu ook beter begrijpt waarom hij zo doet.'

Florine knikte. Ze nestelde zich weer tegen het warme lichaam van haar moeder aan, die een arm om haar heen sloeg en haar op haar hoofd kuste.

'Ik vind overigens dat je wél erg goed kunt spelen,' besloot mam.

11

Het was de eerste wedstrijd zonder Julia. De meiden van HC Sterrenhout zaten wat onwennig in de kantine. Iedereen kletste door elkaar.

'Raar hoor, zo zonder Juul...' zei Pip.

'Ja, waarom is ze nou eigenlijk gestopt?'

'Geen idee! Ze vond het niet leuk meer, zei ze.'

'Ik hoorde dat ze gaan verhuizen.'

'Nee joh, ze gaat op voetbal, geloof ik.'

'Misschien heeft ze wel ruzie met Simon gehad!'

De coach kwam op dat moment met een papier in zijn hand naar de tafel gelopen.

'Goed, we spelen op veld vijf, hoorde ik net. Laten we even de posities bepalen. Omdat Julia er nu niet meer bij is, hebben

Positie
Bij zes- en achttallen (E- en F-jeugd) heb je vaak geen vaste positie omdat je nog moet ontdekken wat je allemaal kunt op het veld. Als je wat ouder bent (tweedejaars D-jeugd) speel je in elftallen en heb je vaak wel een vaste positie. Zo zijn er verdedigers, middenvelders, spitsen, een keeper en een voorstopper. Ze hebben allemaal hun eigen taken.

we één wissel minder en...'

'Waarom is ze eigenlijk weg, coach?' vroeg Emma.

Coach Simon rechtte zijn rug. 'Tja. Ze had daar persoonlijke redenen voor. Julia heeft het gewoon niet altijd even makkelijk, sinds haar vader overleden is. Ik denk dat ze een time-out nodig heeft. Maar als jullie meer willen weten, zul je dat aan haarzelf moeten vragen. Wij hebben nu een wedstrijd voor te bereiden, dus kom op, meiden, even de koppies erbij! We moeten zoals jullie weten tegen Geel-Groen. Ze staan gelijk met ons, want ze hebben nu al twee wedstrijden gewonnen. Dus als wij niet helemaal achteraan willen eindigen in deze competitie, moeten we winnen. Dus wat gaan we doen?'

'Winnen!' riepen de Sterren in koor.

Ze verloren met 1-3. Florine spuugde haar bitje uit en zakte door haar knieën tegen het hek. Om hen heen stonden hun ouders.

'...die bal toch gewoon moeten hebben!'

'...die laatste shoot niet nodig geweest en dan...'

'...beter moeten spelen, meiden, kom op!'

'...nooit door mogen laten gaan, die had je moeten hebben!'

Florine keek naar Sanne en Pip, die naast haar kwamen zitten.

'Was lastig, zonder Juul,' zei Florine.

'Ja, eigenlijk wel. Die had er zo een paar in kunnen knallen, denk ik. Jammer.' Sanne dronk gulzig uit haar flesje water.

'En dan al die ouders hier... Om gek van te worden,' mompelde Pip. 'Moeten ze zelf eens op het veld gaan staan!' Ze pakte haar eigen flesje en dronk ook. Met haar vrije hand veegde ze haar verhitte voorhoofd droog.

'Ik kan me gewoon niet voorstellen dat ze het niet leuk meer vindt, jullie wel?' Florine keek naar haar teamgenoten.

'Nee, eigenlijk niet. Maar ze deed de laatste tijd wel meer rare dingen. Dat haar en zo.'

Florine keek zwijgend naar de speelsters van Geel-Groen, die nog steeds hun overwinning vierden door elkaar high fives te geven. Ze dacht terug aan het gesprek, nou ja, eerder de ruzie die ze gisteren met Julia had gehad.

Ze waren samen naar huis gefietst. Julia had niet veel gezegd, ze was sinds ze aangekondigd had te stoppen met hockey stiller geworden.

Florine had geprobeerd haar op te vrolijken. 'Hé, Stella, je weet wel, die Australische? Die heeft allemaal pappa... pappie... eh, roddelpers en zo achter zich aan in Australië.'

'O? Waarom?'

'Iets met een rivale die haar zwart probeert te maken. Iemand die niet wil dat ze in het nationale team wordt opgenomen of zo.'

'Dat is stom!' had Julia gezegd.

'Ja, daarom is Stella bij ons. Zodat ze even rust heeft of zo en niet iedere dag met haar gezicht en naam in de kranten staat. Mij lijkt het best leuk om iedere dag in de krant te staan. En jou?' Florine had Julia aangekeken. Ze ontweken een geparkeerde auto.

'Weet niet. Ligt eraan op wat voor manier. Als ster misschien wel, of als topspeelster. Maar niet als misdadiger of zo, ha ha!' Julia had gelachen en Florine was blij dat ze even weer op de oude Julia leek. Nou ja, de oude Julia maar dan met een raar soort lila haar.

'Over misdadigers gesproken... Wie denk jij dat die hockeystick gestolen heeft bij Sport Out!?' Sinds haar moeder aan de eettafel had gezegd dat Julia misschien wel de dief was geweest, had het Florine niet losgelaten, maar ze had het niet eerder met Juul durven bespreken. Het was natuurlijk ook te belachelijk voor woorden en wie weet kon Juul er wel smakelijk om lachen!

'Weet niet. Interesseert me ook niet echt,' zei Julia en ze keek weg.

'Mijn moeder zei dat ze nog even had gedacht dat jij het was,' lachte Florine. 'Stel je voor, zeg!'

Julia had Florine met een vuurrood hoofd aangekeken. 'Wat?'

'Nou, mijn moeder. Die dacht dat jij het misschien was! Omdat je nu van hockey af bent en zo. Ze dacht dat je uit het team geknikkerd was omdat jij de dief was. Wat een giller, hè!'

'Ik ben helemaal niet uit het team geknikkerd!' zei Julia fel. 'En wat die moeder van jou betreft, ik hoop niet dat ze haar roddelpraatjes verder verspreidt. Anders zal ik naar Australië moeten verhuizen. Doei!' En woedend was Julia hard weggefietst.

Florine had haar nog geroepen. Ze had willen zeggen dat ze het niet rot bedoeld had, maar Julia had er niet op gereageerd. En Florine had meteen spijt van haar woorden gehad.

'Meiden, gaan jullie ook mee naar binnen?' Coach Simon stond over Florine, Sanne en Pip heen gebogen. 'Even de wedstrijd nabespreken. Florine, maak jij deze keer een wedstrijdverslag?'

Julia belde voor de derde keer aan bij Wizz. Ze keek omhoog, naar de etage waar hij en zijn moeder woonden. Het raam ging open en zijn warrige krullenbos kwam tevoorschijn.

'Hé! Juultje! Wacht, ik doe zo open, kom eraan.'

Ze hoorde gestommel op de trap. Wizz opende de deur en keek haar stralend aan.

'Wat doe jij nou hier? Op een zaterdagochtend? Dan hockey je toch altijd?'

'Nu niet meer. Ben gestopt.' Julia haalde haar schouders op.

'Kom binnen. Mijn moeder is boven, ze is druk met het schilderen van een nieuw doek. Maar we kunnen wel in de keuken zitten.'

Wizz' moeder was kunstenaar. Ze maakte heel mooie, kleurrijke doeken, die ze dan weer verkocht aan galerieën en via haar eigen website. Ze had, toen pap was overleden, een prachtig schilderijtje gemaakt voor Julia. Van een wolkenhemel en één donker silhouet dat ernaar opsteeg, naar de zon, als een mythische figuur. Julia had het bij haar bed staan.

Ze liep achter Wizz aan de oude houten trap op.

'Ha, Julia,' riep Wizz' moeder. 'Leuk je weer te zien, liefje. Hoe gaat het?'

'Goed.' Julia wikkelde haar lange groene sjaal af.

'En met Sandra?'

'Met mama gaat het ook goed.'

'Fijn om te horen. Ik zal haar weer eens bellen om af te spreken.' Ze draaide zich om en hief haar hand. 'Ik ga weer naar mijn atelier. Ciao!' Het atelier lag op de verdieping erboven.

Wizz schonk twee glazen sap in.

'Waarom ben je van hockey af? Ik dacht dat je het zo leuk vond?'

'Ja.' Julia zuchtte en liet zich in de kussens op de vensterbank zakken. Ze staarde naar buiten. Trams, auto's, fietsers en voetgangers verplaatsten zich door elkaar heen. Wizz kende niemand van haar hockeyteam en hij was de enige die ze volledig vertrouwde.

'Ik moest eraf omdat ik geprobeerd heb een hockeystick te stelen. Bij de *Sport Out!* Mam had het er sowieso al een tijdje over dat hockey te duur werd en toen ik betrapt werd, was voor haar de maat vol en moest ik ervanaf.' Ze veegde met de achterkant van haar hand over haar wang. Stomme tranen.

'Shit, da's heftig.' Wizz keek haar met een mengeling van medelijden en bewondering aan. 'Hoe kwam je er nou bij om een stick te stelen? Dat is stom, Juul.'

'Dat weet ik ook wel. Maar ik had een nieuwe stick nodig, anders mocht ik niet meer meespelen. Dat had Simon, onze coach, gezegd. En mam zei dat we geen geld hadden voor een nieuwe stick. Het leek zo makkelijk om er dan maar een in mijn tas te laten glijden...'

'En toen werd je betrapt.'

'Ja, iedereen had het zo'n beetje gezien. 't Was ook gewoon stom, had ik nooit moeten doen. En nu ben ik dus van hockey af.'

Wizz bood haar een koekje aan. 'Tja. En nu? Moest je naar de politie?'

'Nee,' Julia schudde haar hoofd, 'ik geloof dat de winkeleigenaar medelijden met me kreeg.'

'Nou, niets aan het handje dus. Geen strafblad en niemand die het verder weet. Balen wel dat je niet meer kunt hockeyen, maar het had slechter af kunnen lopen.'

'En dat is nou net het probleem.' Julia krabde aan haar neus. 'Er was op dat moment blijkbaar een moeder van een spelertje van Sterrenhout in de winkel en die heeft het rondgebazuind. Je kent Flo wel, die vriendin van me? Haar moeder had het blijkbaar ook gehoord, en die had het alweer aan Flo verteld. Als dat zo doorgaat, weet iedereen het straks...' Ze staarde uit het raam en zuchtte diep.

'O.' Wizz trok een gezicht. 'Da's minder inderdaad. Wat heb je tegen Flo gezegd?'

'Niets natuurlijk. Dat het niet waar is.'

Ze keken een poos samen uit het raam.

'Misschien moet je wel met haar gaan praten. Als ze echt een goede vriendin is, kun je haar vertellen hoe het zat en dat ze haar mond moet houden.'

Julia verborg haar gezicht in haar handen. 'Dat durf ik niet.

Stel dat ze het toch een keer vertelt.'

'Kun je niet zeggen dat je je gewoon vergist had? Dat je naar sticks ging kijken, dat je op je horloge keek en opeens zag dat het tijd was en dat je allang thuis had moeten zijn. En dat je toen zonder erbij na te denken de stick in je tas deed en wegliep, omdat je dacht dat het je eigen stick was?'

'Hm. Misschien...' Julia keek op haar horloge. Half twaalf. De meiden van haar team waren al klaar met de wedstrijd. Ze vroeg zich af of ze gewonnen of verloren hadden. Tegen Geel-Groen. Dat moest toch een eitje zijn. Die moesten ze toch met 5-0 of zo af kunnen drogen. De laatste keer dat ze tegen Geel-Groen hadden gespeeld, had ze drie punten gescoord! Nu moesten de meiden het zonder haar doen. En ergens, diep van binnen, hoopte ze toch dat ze niet zo veel punten zouden scoren. En dat ze zouden zien hoe belangrijk zij was geweest voor het team. Ze slikte de brok in haar keel weg en staarde weer naar buiten.

12

Florine las het wedstrijdverslag nog een keer.

HC Sterrenhout – Geel-Groen: 1-3
We moesten een thuiswedstrijd spelen tegen Geel-Groen. De eerste helft waren we best sterk. Emma was in de eerste helft onze keeper. We waren wel sterker op het veld, maar hebben maar één keer gescoord. Dat deed Sanne. We hadden een speelster minder, omdat Julia is gestopt met hockey. Geel-Groen scoorde in de eerste helft ook een keer en toen stond het 1-1 bij de rust. In de tweede helft keepte ik. Er gingen twee goals van de tegenstander doorheen.
Wij scoorden twee minuten voor het eindsignaal nog

een keer (door een strafcorner van Pip), maar die goal werd jammer genoeg afgekeurd.

Verslag door Florine van Senhoven

Helemaal goed, dacht ze en ze drukte op *verzenden.* Ze mailde het verslag naar Simon, die het dan weer op de site zou zetten. Hé, ze had een e-mail gekregen van iemand die ze niet kende. Als ze de afzender niet kende, mocht ze de mail in principe niet openen van haar ouders, in verband met virussen en zo. Maar deze mail had als onderwerp *Stella.* Dus moest het wel iemand zijn die háár kende. Ze opende het bericht. Het was in het Engels en ze probeerde het te ontcijferen.

Hi there! I read on the site of the Melbourne Pelicans that you've met Stella recently. That's great! We've been trying to figure out where she went. She's a really good friend of mine and I'm kinda worried about her. She left so suddenly. Do you know where she is? Please let me know! Thanks for replying.
Tracey

PS: Better not tell Stella about this e-mail, she'll freak!
Just wanna know she's all right.
Where do you live?
Do you play hockey?
What team?

Ze begreep niet alles, maar delen ervan wel. Dit was blijkbaar een vriendin van Stella die wilde weten waar ze was. Maar een hele goede vriendin zou toch wel weten waar Stella zat?

Ze typte in haar beste Engels een bericht terug.

Hoi. I'm name Florine van Senhoven and I am 11. And I now where Stella is. But dat I kan't tell. Bye.

PS: I live in Holland and play with HC Sterrenhout.
Greetjes Florine

Ze sloot net af toen de deur van de televisiekamer opengíng.

'Ga je mee? We zouden gaan shoppen, weet je nog?' Stella wenkte haar. 'Ik zou je aankleden op de manier die ik leuk vind!'

Natuurlijk was Florine het niet vergeten! Samen met Harriët zouden ze de stad in gaan en lekker gaan shoppen. Van mam had ze geld gekregen om een paar leuke dingen te kopen – 'Als het maar niet ordinair is of zo, Florine. En geen rare kleuren.' Met andere woorden: als het maar saai was! Nou, dacht Florine en ze schoof haar stoel naar achteren, no way dat ze saaie kleding ging kopen. Ze zou zich helemaal door Stella laten adviseren.

Ze pakte haar tas en stopte haar portemonnee erin. 'Ben zo klaar, nog even naar de wc.'

Stella lachte. 'Oké, dan wacht ik met Harriët buiten op je. Het is heerlijk weer. We gaan vast ook op een terrasje zitten. Schiet je op?'

Florine keek Stella na. Zou ze zeggen dat ze zojuist gemaild was door iemand die Stella zocht? Maar die persoon had gezegd dat Stella zou flippen als ze wist dat iemand haar zocht. En bovendien, Florine had geen adres of zo doorgegeven. Ze besloot het maar niet te vertellen, het voelde op de een of andere manier ook niet helemaal goed. En dan zou Stella misschien boos worden dat ze haar naam gegoogeld had en dan ging de shopping-trip vast niet door. Nee, het was beter om gewoon haar mond te houden. Ze keek nog even in de spiegel en rende toen naar buiten.

'...dus je begrijpt, we missen haar ook gewoon.' Coach Simon keek de moeder van Julia afwachtend aan.

'Ja... begrijp ik. Maar... niet anders. Sinds Toms overlijden... stuk minder geld... bezuinigen en... luxe zaken als sporten af.' Julia hoorde haar moeder met zachte stem praten.

Ze stond halverwege de trap, net uit het zicht van mam en Simon. Wat kwam hij nou doen? Ze had de deurbel wel gehoord, zo'n tien minuten geleden, en zich ook afgevraagd wie er nu zo laat nog langs zou komen – het was al bijna tien uur en ze lag al een tijd in bed – maar er verder geen aandacht aan besteed. Ze had dorst gekregen en was naar de badkamer gelopen om even wat te drinken en toen had ze een mannenstem gehoord, vanuit de keuken. Ze herkende de stem direct: coach Simon. Maar wat kwam die nou doen? Ze was op blote voeten de trap af geslopen, tot halverwege, en ving flarden van het gesprek op.

'...zou jammer... talent,' antwoordde Simon.

'...misschien volgend seizoen... werk erbij... meer geld,' zei mam nu.

Julia sprong zowat een meter de lucht in toen ze achter zich hoorde: 'Wat doe jij nou?'

Nick stond op de overloop en keek haar aan.

'Ssst!' siste ze en ze stond op. Ze liep weer naar boven. 'Simon zit beneden in de keuken met mama te praten,' fluisterde Julia.

'En jij luistert ze fijn af,' zei Nick droog.

'Stil nou! Ik weet dat het niet netjes is, maar ik vraag me gewoon af waarom hij hier zit.'

'Misschien om je netjes uit te schrijven,' zei Nick zacht. 'Maar als mam je betrapt, ben je zuur, hoor! Ik zou gewoon weer naar mijn kamer gaan als ik jou was...'

'Ja. Ga ik ook. Welterusten.'

'Jij ook.'

Ze lag nog een poos in het donker naar het plafond te staren. Wat als Simon hier was omdat hij van de diefstal – de poging tot diefstal – had gehoord? Hoe had ze toch zo stom kunnen zijn? Het was het stomste dat ze ooit had gedaan. Dát, en haar haren paars verven. Zuchtend draaide ze zich om en sloot haar ogen.

'Wow! Wat zie jij er cool uit,' riepen Pip en Emma bijna gelijktijdig, toen Florine op het schoolplein verscheen. Julia keek haar zwijgend aan.

Florine grijnsde blij. Ze draaide een rondje. 'Ja, gaaf hè! Van Stella gekregen. Ze heeft me een hele make-over gegeven. En mijn zus ook.'

Het was een supermiddag geworden. Stella had hen van de

ene winkel naar de andere gesleept en ze hadden van alles gepast. Uiteindelijk hadden zowel zij als Harry behoorlijk wat nieuwe kleding bij elkaar gewinkeld voor hun nieuwe look. En toen ze langs een kapper waren gelopen, had Stella gezegd dat ze daar ook nog naar binnen zouden gaan en dat zij hen zou trakteren op een nieuw kapsel.

Mam had even geschrokken gekeken toen haar dochters terugkwamen van het winkelen, maar al gauw had ze vol bewondering geroepen dat het hen geweldig leuk stond. Florines saaie haar was opgevrolijkt met wat lichte streepjes en in laagjes geknipt. Het wipte nu speels omhoog.

'Dat is wel even wennen...' had mam gezegd, 'maar wat staat het jullie goed!'

'Ik wou dat wij zo'n logé hadden,' zei Pip nu jaloers. 'Wat bof jij toch weer!'

Florine keek stralend naar haar eigen spiegelbeeld in het raam. Ze had de nieuwe witte blouse aan, die ze over een skinny spijkerbroek droeg met een bruine riem. Aan haar voeten mooie stoere laarzen. Ze leek zo, vond ze zelf, wel een beetje op Stella.

'Ja, echt super, Flo,' riep Pip nog een keer voordat de bel ging. Alleen Juul leek niet enthousiast, dacht Florine. Jammer.

'Ik doe wel open,' zei Florine en ze nam nog een hap van haar appel. Ze trok de voordeur open en hield met haar voet de blaffende Bryson tegen. 'Af Bryson, kom op! Lig.'

De hond ging gedwee zitten.

'Ja?' Florine keek de man aan die voor haar stond. Hij had een fototoestel in zijn handen en keek haar onderzoekend aan.

'Hi, are you Florine?'

Florine knikte verbaasd. Wie was deze man? 'Eh ja. Yes.'

'Great! I'm looking for Stella.'

Stella logeerde inmiddels drie weken bij hen en er was in al die tijd nog nooit iemand voor haar langsgekomen. Het was soms net, had Harriët gezegd, alsof Stella niet bestond.

'Eh... ja, heeft u, eh... have you a momentje?' Ze draaide zich om en riep: 'Stella! Er is bezoek voor je.'

Stella kwam met haar iPod in haar oren de trap af. Eén oortje van haar koptelefoon hing los en ze liep met een verbaasd gezicht naar Florine. Die stapte naar achteren om Stella erbij te laten.

'Bezoek voor mij?' zei ze en ze trok de deur verder open.

Op dat moment begon het te flitsen.

Even keek Stella verbijsterd naar de man voor haar, die allemaal foto's nam en in het Engels vragen op haar afvuurde. Toen smeet ze abrupt de deur dicht.

'O nee!' Stella deinsde achteruit en keek als door de bliksem getroffen naar Florine. Die keek verwilderd terug.

'Wat is er? Stella?'

De bel ging ondertussen weer, onophoudelijk werd erop gedrukt. Bryson sprong woest tegen de deur aan en blafte.

'Paparazzi. Het is een journalist van een Australische krant. Wat...? Hoe kan dit nou? Wie weet nou dat ik hier ben?' jammerde Stella en er begonnen tranen over haar wangen te stromen.

Florine keek verdwaasd naar Stella. Ze realiseerde zich met een misselijkmakend gevoel opeens dat zij degene was die de journalist naar Stella had geleid...

13

'Juul! Kom eens even, we moeten praten.'

Julia keek op van haar huiswerk. Ze hoorde haar moeder onder aan de trap roepen.

'Mag ik even deze sommen afmaken? Dan kom ik, oké?'

'Ja, is goed. Zet ik ondertussen een pot thee.'

Julia beet op de achterkant van haar pen. Waarom zou mam haar willen spreken? Haar hart begon een beetje sneller te kloppen. Had vast iets met het bezoek van Simon eerder deze week te maken. Ze had er nog niets over gehoord en het haar moeder ook niet durven vragen. Misschien wilde de club wel dat ze nog iets van een straf kreeg of zo, omdat ze betrapt was terwijl ze het tenue van Sterrenhout aanhad. Of misschien had het niets met Simon te maken, maar had de winkeleigenaar zich bedacht en alsnog aangifte gedaan. En dan zou iedereen het toch te weten komen...

Ze keek weer naar haar sommen.

Vanochtend op school was Florine helemaal het middelpunt van de belangstelling geweest, met haar hippe nieuwe look. Ze was eigenlijk enorm jaloers op haar. Flo had alles, leek het wel. Een vader, heel veel geld en nu een superleuke vriendin uit Australië. Sommige mensen hadden ook altijd geluk! Terwijl andere, zoals Juul zelf, gewoon altijd pech leken te hebben.

Ze schoof haar stoel zuchtend naar achteren. Zo lukte het toch niet om zich te concentreren, dus ze kon maar beter gewoon het gesprek met mam aangaan.

'Thee?' Mam schonk een kop in en gebaarde dat Julia aan de keukentafel moest gaan zitten. 'Juultje, ik heb je wat te vertellen. Simon, je coach, was hier van de week om over jou te praten.'

Julia knikte langzaam. Verdorie. Misschien zou ze toch publiekelijk haar excuses moeten maken aan haar voormalige team. Of aan het bestuur van de vereniging. Misschien zouden ze het zelfs wel als artikel opnemen in het clubblad. Ze zag de kop al voor zich: *Jeugdlid van HC Sterrenhout betrapt bij stelen stick!*

'...dus wat vind je ervan?'

Julia keek haar moeder met een lijkwit gezicht aan. 'Waarvan?'

'Juul! Heb je dan niet geluisterd?'

'Ik... nee. Sorry.' Julia sloeg haar ogen neer.

'Simon zei dus dat er een mogelijkheid was voor jou om lid te blijven van de hockeyvereniging, zonder dat het ons geld gaat kosten. Ze zoeken voor de zaterdag nog een kantinebeheerder. Ik ben er vanochtend op gesprek geweest en ik begin aanstaande zaterdag al. Zo slaan we twee vliegen in één klap. Er komt wat meer geld binnen, en daarbij, kinderen van medewerkers mogen gratis hockeyen!'

'Hè? Wat?' Juuls lijkwitte gezicht werd roze en toen knalrood. 'Dus...? Ik mag weer op hockey? Meen je dat nou?'

Mam lachte blij. 'Ja! Geweldig hè? Het betekent wel dat ik op de zaterdagen niet meer bij Nick kan kijken, maar over een klein jaartje moet hij sowieso op zondag gaan voetballen. En ik kan nu vaker bij jou kijken, want ik heb ook gewoon pauze natuurlijk! En Vlinder mag ook op hockey, als ze zou willen. Ze kan jouw oude spullen wel aan, denk ik, en je oude stick gebruiken.'

Julia's gezicht betrok.

'Wat is er? Ben je niet blij? Ik dacht dat je wel een gat in de lucht zou springen,' zei mam nu en ze keek Julia onderzoekend aan.

'Jawel. Nee, het is... Nou ja, natuurlijk is het geweldig nieuws dat we geen contributie hoeven te betalen, mama. En dat ik weer op hockey zou kunnen. Alleen... dan nog blijft hockey veel geld kosten. Als Vlinder mijn stick gaat gebruiken... Ik zou nog steeds een nieuwe stick nodig hebben en soms nieuwe schoenen of een ander rokje. En dat geld hebben we toch niet?'

Mam knikte. 'Nee, dat klopt. Maar weet je, we vinden er wel een oplossing voor. Als ik op zaterdag daar werk, verdien ik er natuurlijk ook gewoon iets bij om dat soort dingen te betalen. En binnenkort is er weer een sportbeurs met tweedehands spullen. Dan kunnen we een stick voor je kopen. Oké? Ik heb met Simon afgesproken dat je voorlopig een stick mag lenen van de club. Dus wat hem betreft, mag je zaterdag gewoon meespelen, hoor.'

'Mam!' Julia sprong op en omhelsde haar. 'Dat is echt super! Bedankt.' Ze zoende haar moeder op de wang. Dat haar moeder dat voor haar overhad: haar vrije zaterdag opgeven om te werken bij de hockeyvereniging! Ze voelde tranen van blijdschap opwellen en hield haar moeder stevig vast. 'Dankjewel!' fluisterde ze.

'...Jij?! Met Jason Day? Dé Jason Day? De zanger?' Harriët en Florine keken met een mengeling van bewondering en verbazing naar Stella.

Stella kroop weg in de fauteuil waarin ze zat en trok haar benen onder zich. Ze pulkte aan een nagelriem en knikte.

Mam zuchtte en liet zich in de kussens van de bank zakken. 'Wow! We hebben gewoon onze eigen soap in huis! Ik wist natuurlijk wel dat je uit Australië wegging omdat er iets was gebeurd, dat had je moeder me al verteld, maar niet wát.'

Stella haalde haar schouders op en glimlachte verontschuldigend. 'Jason en ik konden nergens meer komen zonder dat er hordes fotografen op de loer lagen. Als ik inkopen in de supermarkt wilde doen, kwamen er zelfs fotografen achter stellingen vandaan en dan fotografeerden ze wat er in mijn karretje lag om te zien of het voor één of voor twee personen was. Het was echt belachelijk. En toen Tracey Kopps er lucht van kreeg...' Ze draaide zich even om naar Harriët en Florine. 'Tracey is de...'

'...midvoor van het Australische nationale team, dat weet ik,' riep Harriët uit.

'Ja, ze was echt een hele goede speelster. Alleen werd haar spel het laatste seizoen steeds minder, en de kranten schreven dat Tracey haar beste tijd had gehad en dat ze eigenlijk uit de selectie zou moeten. Mijn naam werd genoemd als mogelijke nieuwe speelster voor het nationale team...' Stella zuchtte en duwde een goudblonde lok uit haar gezicht.

'En wat heeft Jason daar dan mee te maken?' Florine kon haar opwinding bijna niet in bedwang houden. Jason Day was een megaster! Hij had laatst nog bovenaan in de hitlijsten gestaan met dat geweldige nummer *Beat to My Heart.* En Harriët had zelfs een poster van hem op haar prikbord hangen. Het was de zussen wel opgevallen dat Stella daar de eerste keer dat ze hem gezien had, lang voor was blijven staan en dat ze even geheimzinnig geglimlacht had, maar aan deze wending hadden ze nooit gedacht! Stella en Jason... wow!

'Nou... Jason was ooit een soort van vriendje van Tracey. Ze waren vorig jaar aan elkaar gekoppeld bij een liefdadigheidsbal en Tracey had toen het idee dat hij haar vriendje zou kunnen worden. Alleen dacht Jason daar anders over. Ze zijn wel een paar keer uit geweest en zo, en daarna kreeg Tracey opeens weer veel aandacht van de media en deed niemand meer erg moeilijk over haar slechte sportieve prestaties. Dus begon ze steeds meer rond te vertellen over dat ze een stelletje waren, maar dat waren ze helemaal niet. En Jason wilde haar ook niet echt voor schut zetten, zo publiekelijk. Op een avond was er een feest van onze club. Tracey had Jason meegenomen. En daar ontmoetten Jason en ik elkaar... Tja, er sprong een vonk over. Zeg maar gerust vuurwerk!' Stella's ogen begonnen te glimmen bij de herinnering en Florine, mam en Harriët hingen zo'n beetje aan haar lippen.

'En toen?'

'Tracey werd heel jaloers. En vooral toen ze de wedstrijden daarna belangrijke punten miste en de geruchten weer gingen dat Tracey toch echt uit de selectie moest, begon ze mij zwart te maken. Ze zei tegen journalisten dat ik haar vriendje had afgepakt. En dat ik in wedstrijden bewust haar acties saboteerde, zodat het net leek of zij superslecht speelde en ik goed. En dat ik er alleen maar op uit was om publiciteit te zoeken door iets met Jason te beginnen, in de hoop dat ik dan ook geselecteerd zou worden voor het nationale team.' Stella zweeg en keek uit het raam, de achtertuin in.

Mam knikte. 'En toen kreeg ik dat telefoontje van je moeder... dat ze zich zorgen om je maakte en dat je weg moest van je problemen daar. Ze zei dat het iets met een vriendje te maken had, maar meer wilde ze inderdaad niet kwijt. En ze liet me beloven dat je hier volledig anoniem mocht blijven. Dat we geen contact zouden zoeken met de media.' Mam schonk iedereen nog wat thee bij en nam zelf een chocolaatje. 'We zouden zeggen dat je hier stage liep en dan kon jij even tot rust komen, weg van de pers. Totdat die journalist hier vanmiddag op de stoep stond natuurlijk... Hoe die nou wist dat jij hier was...?'

Florine slikte.

'Ja, dat was het idee. Dat ik gewoon een paar weken zou verdwijnen. Zo kregen Jason en ik allebei wat rust. Jason moest trouwens toch op tournee, door Amerika. Dus er werd gedacht dat ik ook wel in Amerika zou zitten. Niemand kwam op het idee dat ik in Nederland zou kunnen zijn. Ondertussen heb ik uit de websiteberichten begrepen dat Tracey volgend seizoen inderdaad niet meer mee zal spelen bij de selectie. En omdat ik er niet was, kon ze mij daar de schuld niet van geven. Via mijn ouders weet ik dat de coach van de nationale selectie met me wil praten zodra ik terugkom. Voor nu was het belangrijk om in de luwte te blijven. Zo onopgemerkt mogelijk, zodat Tracey mijn relatie met Jason én mijn carrière als profhockeyer geen schade meer kon toebrengen. En daarom ben ik hier,' besloot Stella.

'Ga je dan nu terug? Nu ze je gevonden hebben?' Florine beet op haar lip.

'Nee. Ik heb erover nagedacht en ik heb Jason gebeld. Ik blijf nog tien dagen, zoals de afspraak was. Ik vind het heerlijk hier en ik kom ook echt tot rust. Ik heb wel een plan. Ik ga praten met die journalist, diegene die vanmiddag aan de deur stond. En dan beloof ik hem een exclusief interview, maar wel onder de voorwaarde dat hij me de komende weken met rust laat en niemand anders zal vertellen waar ik zit. En ik moet er toch ook nog achter zien te komen wie hem heeft verteld dat ik hier ben. Als ik die persoon in m'n handen krijg... grrr!'

14

Julia keek peinzend naar Florine. Het was pauze en de leraar had gezegd dat iedereen lekker naar buiten moest.

'Wat zie jij er bleekjes uit, zeg!' Julia porde haar vriendin in haar zij.

'O? Slecht geslapen...' mompelde Florine en ze wreef even in haar ogen.

Ze had de hele nacht liggen woelen en draaien. Want natuurlijk zou iedereen erachter komen dat zij degene was die Stella's verblijfplaats had verklapt. Tenminste, dat dacht ze. Ze had natuurlijk niet precies de straatnaam genoemd in de e-mail naar Tracey, maar ze had wel gezegd dat ze in Holland woonde. En hoeveel Van Senhovens woonden er nou in Nederland?

Maar het was niet alleen de angst om ontdekt te worden die haar wakker had gehouden. Ook de opwinding over het verhaal van Stella, over Jason en alle intriges.

Ze hadden Stella allemaal moeten beloven hun mond te houden. En Stella was uiteindelijk naar buiten gelopen, naar de journalist, die nog steeds voor het huis stond te posten. Ze had hem gezegd dat hij de volgende dag terug kon komen, maar dat hij wel zijn mond moest houden, anders zou ze hem niet te woord staan. Hij had haar bedankt en gezegd dat hij er de volgende dag – vandaag dus – zou zijn.

En dan, dacht Florine, zou het natuurlijk uitkomen... Ze voelde zich misselijk worden.

'Hoezo heb je slecht geslapen?' Julia leunde met haar rug tegen het hekwerk en deed haar ogen even dicht. De zon scheen fel en verwarmde haar.

Florine keek opzij naar Julia. Zou ze haar kunnen vertrouwen? Ze wist het niet, maar ze zou nu o zo graag advies willen hebben...

'Ik... ik heb iets heel stoms gedaan,' begon ze. 'Je weet toch dat die Australische, Stella, bij ons logeert?'

'Je bedoelt dat fotomodel?'

'Ze is hockeyster!'

'Ja,' lachte Julia, 'weet ik toch. Maar ze is wel helemaal hip en net een model. Wat is er met haar?'

'Nou... je moet me wel eerst beloven dat je je mond houdt. Anders kan ik het niet vertellen.' Florine keek Julia indringend aan.

'Oké. Ik hou m'n mond. Vertel!'

'Er is in Australië iets gebeurd waardoor ze een soort van op de vlucht is geslagen en...'

'Wat dan? Heeft ze iemand vermoord of zo?' Julia ging opeens rechter staan.

'Nee! Wat het precies is, kan ik niet zeggen. Het heeft te maken met de pers; ze was op de vlucht geslagen voor een boel journalisten. Maar goed, ik wist dus niet dat ze als het ware ondergedoken zat. En toen heb ik op de Australische website van haar club een berichtje achtergelaten, dat ik haar kende en zo. Daarna kreeg ik een e-mail van iemand die haar zocht. En ik heb toen gezegd dat ze in Nederland zat. En mijn naam genoemd. En nu...'

'...liggen er een boel journalisten op jullie stoep. Wauw!' zei Julia vol bewondering. De saaie Florine van Senhoven was dus blijkbaar niet zo saai en braaf!

'Nee, geen boel. Maar er is wel een journalist uit Australië hier die haar daardoor heeft gevonden. En Stella is vreselijk boos. Ze weet alleen niet dat ik degene ben die haar schuilplaats heeft verraden. Nog niet... Vanmiddag heeft ze een gesprek met die journalist en dan zal ze vast vragen hoe hij achter haar verblijfplaats is gekomen en dan komt ze erachter dat hij het van mij heeft gehoord...' Florine kreunde.

'O. Misschien moet je het gewoon tegen haar zeggen, Flo. En hopen dat ze het begrijpt. Ik bedoel, je hebt het toch niet expres gedaan of zo.'

'Nee, maar het was wel superstom!'

'We doen allemaal wel eens iets heel stoms...' Julia beet op haar lip en stak haar handen in haar zakken. Ze keek Florine aan. 'Kun jij ook een geheim bewaren?'

Florine knikte.

'Echt? Je zult het niet vertellen? Tegen niemand?'

'Nee,' zei Florine. 'Bovendien, jij weet nu toch ook een geheim van mij? Dus als ik jou verlink, kun jij mijn geheim vertellen. En dat wil ik niet.'

'Oké. Weet je nog dat je me vroeg naar die hockeystick? Die diefstal?'

Florine keek Julia aan. 'Echt? Heb jij dat toch gedaan?'

Julia knikte beschaamd. 'Ja. En het was niet eens per ongeluk. Ik wilde gewoon heel erg graag een nieuwe stick, omdat Simon had gezegd dat ik niet meer met mijn oude stick kon hockeyen.'

'Maar dan koop je er toch gewoon een?' Florine keek vol verbazing naar Julia.

'Dat is juist het punt. Sinds papa dood is... Nou, we komen volgens mij maar net rond van mama's inkomen. Wij zijn gewoon niet zo rijk als jullie, Flo. En voor een nieuwe stick was geen geld meer. Trouwens, voor de contributie van de club ook niet...'

'Dus daarom ging je eraf! We begrepen het al niet. Weet Simon het, van die stick?'

Julia schudde haar hoofd. 'Dat geloof ik niet. De winkeleigenaar heeft geen aangifte gedaan. En ik ben gelukkig ook niet herkend door die moeder van dat jongetje, je weet wel, van wie je moeder coach is.'

'Goh...' Florine leek in gedachten verzonken.

'Maar er is ook goed nieuws,' zei Julia en ze stootte haar vriendin aan. 'Ik ga vanaf zaterdag weer meehockeyen!'

'Hè? Hoe kan dat dan? Hebben jullie de lotto gewonnen of zo?'

'Nee, sufferd! Was het maar waar. Trouwens... ik zou ook

wel zo willen shoppen zoals jij laatst hebt gedaan met die Stella,' verzuchtte Julia. 'Nee, mijn moeder heeft er op zaterdag een baantje bij als beheerder van onze clubkantine. En als medewerker van de club mogen haar kids – ik dus – gratis lid zijn! Goed hè?'

'Maar dat is super!' Florine sloeg een arm om Julia's schouder. 'Yes! Met jou erbij doen we het gewoon veel beter!'

Florine deed zacht de deur open.

'Hai. Ik ben thuis,' riep ze. Ze verwachtte half dat Stella haar woedend zou opwachten en ging met lood in haar schoenen de woonkamer binnen.

Er was niemand. Wel stonden de terrasdeuren open en daardoorheen zag ze Stella in de tuin zitten, in het zonnetje.

'Hoi...' zei ze onzeker door de tuindeur.

'Hey!' Stella stak haar hand op. 'Het is echt zalig weer. Thuis is het al snel veel te heet, maar hier is het heerlijk.' Ze zette haar zonnebril weer op en leunde achterover.

Florine liep langzaam haar kant uit. Zou ze al met die journalist hebben gesproken? En zou die verteld hebben hoe ze erachter waren gekomen dat Stella hier was?

'Die journalist is nog geweest...' zei Stella opeens, alsof ze Florines gedachten raadde. Ze ging rechter op zitten en keek haar even over haar zonnebril heen aan. 'Ik geloof dat ik weet wie mijn schuilplaats bekend heeft gemaakt.'

Florine werd langzaam rood. Ze keek naar het gras onder haar ballerina's en wreef er wat met haar voeten overheen. 'O...'

'Ik ben niet boos. Niet echt. Tenslotte kon jij het niet weten, ik had misschien vanaf het begin wat eerlijker moeten zijn en jullie moeten vragen om niets over mij te zeggen. De journalist was getipt door Tracey. Die had het weer van ene Florine van Senhoven uit Nederland. En toen ze googelde met jouw naam en 'hockey', kwam ze op de site van Sterrenhout, en omdat jouw vader bestuurslid is, was het niet zo moeilijk om het adres te achterhalen.'

'Het spijt me vreselijk, Stella...' Florine slikte een brok weg.

Stella stak afwerend haar hand omhoog. 'Laat maar. Je kon er niet zo veel aan doen. Hooguit kun je bedenken dat dingen die je op internet zet, zo gecheckt kunnen worden en daar moet je altijd voorzichtig mee zijn. Wat mij betreft blijft het ook gewoon tussen jou en mij. Ik zal het in ieder geval niet tegen je ouders vertellen. Ik heb die journalist gezegd dat Tracey jou erin geluisd heeft en dat jij nog maar een kind bent. En dat ik, als ze niet uitkijkt, haar ga aanklagen voor stalken of zoiets. Hij begreep het wel. We hebben nu afgesproken dat hij zijn mond houdt en dat wanneer ik terug ben in Australië, ik samen met Jason een exclusief interview zal geven aan zijn blad. Ik heb hem meteen gewaarschuwd dat als er ook maar één andere journalist of fotograaf hier voor de deur staat, het interview niet doorgaat. Dus ik denk dat hij er alles aan zal doen om ervoor te zorgen dat niet nog meer mensen mij hier vinden. Want dat wil ieder blad wel: een interview met Jason én met de nieuwe aanwinst van de nationale selectie!' Stella grijnsde.

'Wat?! Ben je geselecteerd? Helemaal geweldig! Super! Gefeliciteerd,' riep Florine uit.

'Ja, geweldig hè? Ik heb de hele ochtend gebeld met allerlei mensen, omdat die journalist hier nu was en ik wilde voorkomen dat ze in de krant moesten lezen waar ik me schuilhield. Dus ik heb ook de coach van het nationale team gesproken en gezegd dat ik over tien dagen terug ben. Precies op tijd om mee te trainen voor de eerste wedstrijd tegen India.'

'Super! O Stella, dat is echt geweldig.'

'Ja, vind ik ook. En dan kan ik de eerstvolgende wedstrijd nog naar jou komen kijken. Wanneer speel je weer?'

'Overmorgen!' Florine knapte bijna uit elkaar van trots en opluchting. Een echte Australische topspeelster die naar haar zou komen kijken! 'Echt een heel belangrijke wedstrijd. We moeten tegen de koploper, Greenfields, en als we die wedstrijd winnen, stijgen we meteen twee plaatsen.'

'Nou, dan kom ik zeker,' zei Stella en ze leunde weer achterover. 'O, wil je het nog goedmaken, dat van die journalist?'

Florine keek haar aan. 'Eh, ja. Wat kan ik doen dan?'

'Een colaatje voor me uit de ijskast halen!' grijnsde Stella. 'O ja, en voor ik het vergeet: je vindt het hoop ik niet erg dat ik iemand meeneem naar de wedstrijd overmorgen?'

'Eh, nee. Wie dan?'

Stella zette haar zonnebril wat lager zodat Florine haar pretogen zag. 'Dat zie je dan wel!'

15

Het was de belangrijkste wedstrijd van het seizoen voor de Sterren. Het was bewolkt, maar zo nu en dan piepte de zon even tussen de wolken door. Alle meiden liepen een rondje langs de lijnen van het veld om op te warmen.

'Fijn dat je er weer bent,' zei Florine tegen Julia, die naast haar liep.

'Ja, het voelt heerlijk!' Julia zwaaide met haar armen. 'Heb je nog met Stella gesproken?'

'Ja, ze weet het. En ze is niet eens boos. Ze komt straks kijken, goed hè?'

'Oké, meiden.' Coach Simon gebaarde dat iedereen om hem heen moest komen staan. 'Dit is een enorm belangrijke wedstrijd. Als we verliezen, worden we na dit seizoen ingedeeld in een andere competitie, die lager is dan deze. Dat willen we niet, toch?'

Ze schudden allemaal heftig hun hoofd. Vanuit haar ooghoeken zag Florine de tegenstander aan de andere kant van het veld staan.

'Dus gaan we winnen. Of in ieder geval gelijk spelen. Tot nog toe is Greenfields ongeslagen. Maar we geven gewoon alles wat we hebben. De indeling is als volgt: Emma, jij in het doel. Pip en Julia als aanvallers. Florine, jij...'

Alle leden van de Sterren hadden hun plaats gekregen. Florine stopte haar bitje in haar mond. Ze keek naar de zijlijn. Achter

Outfit

De outfit van een hockeyer bestaat uit hockeyschoenen, lange kousen met beenbeschermers, een shirt, een korte broek voor jongens en voor de meiden een stretch rokje waar een broekje aan vastzit. En natuurlijk een bitje! Iedere club heeft zijn eigen kleuren en op de shirts staat vaak de naam van de club en van de sponsor.

Een keeper heeft meestal meer bescherming: een volledige uitrusting bestaat uit kickers (bescherming voor de voeten), legguards (bescherming voor de schenen), een keepersbroek, een toque, een bodyprotector, handschoenen, elleboogbeschermers, een afwijkend shirt en een helm. Deze bescherming is, met uitzondering van de helm, NIET verplicht.

de hekken stonden deze keer behoorlijk wat toeschouwers. Ze zag haar vader, samen met Harriët. Ze zag de ouders van haar teamgenoten, ze zag wat opa's en oma's. Stella kon ze niet zo snel vinden, maar die kwam vast nog wel.

Haar vader gebaarde opeens dat ze bij hem moest komen. Ze keek naar de coach. Die was druk in de weer om Emma in haar keepersoutfit te hijsen. Ze rende snel naar de zijkant van het veld.

'Liefje...' Haar vader leek even niet goed te weten wat hij moest zeggen.

Vast weer een preek, dacht Florine. Over hoe ze moest slaan, of hoe ze de stick moest vastpakken of hoe ze de bal moest raken.

'Misschien verwachtte ik te veel van je, met hockey en zo. Sorry dat ik je zo vaak op je kop zit. Ik doe dat uit enthousiasme, niet omdat ik denk dat jij niet goed kunt spelen. En ik realiseer me nu ook dat jij niet hetzelfde wilt als Harriët, en dat dat oké is. Als je maar plezier blijft hebben in het sporten, dat vind ik het belangrijkst. Ik zou het vreselijk vinden als je er geen lol meer aan beleeft omdat ik je zo zit te pushen.'

Florine staarde haar vader verbaasd aan. 'Maar ik vind hockey wel leuk, hoor! Alleen is het inderdaad niet leuk als jij me steeds het gevoel geeft dat ik het niet goed doe.'

'Je doet het prima,' zei haar vader en hij streek even over haar wang. 'Echt. En ik zal proberen wat minder snel met, eh... tips en adviezen aan te komen, oké?'

'Fijn.'

'En nou gaan spelen, hup. Enne, Flo?'

Florine draaide zich weer naar hem toe.

'Je stick iets meer in het midden vasthouden. Zo ja, prima!'
Florine grijnsde en rende naar haar teamgenoten.

De bal lag voor haar en Julia keek het veld in. Sterrenhout had zojuist een strafcorner toegekend gekregen. Het was, na vijfentwintig minuten spelen, 0-1 in het voordeel van Greenfields.

Greenfields was gewoon een hele sterke ploeg en de meiden van Sterrenhout hadden dan ook enigszins beduusd toegekeken hoe de teamleden elkaar met harde yells geluk hadden gewenst voor de wedstrijd.

'Hier, Juul!' riep Sanne en ze eiste de bal op.

Julia mepte hem hard weg. Ze had voor deze wedstrijd een stick van de coach gekregen en moest toegeven dat zo'n maatje groter wel beter sloeg.

Sanne nam de bal aan en rende snel op de cirkel af.

'San, hier!' riep Pip, maar de bal werd door Greenfields onderschept.

Florine rende met de speelster van Greenfields mee en zette haar stick tegen de bal. Yes! Ze schoot hem naar Julia, die nu voor haar stond en de bal aannam. Julia vloog het veld over, haalde haar stick naar achteren en schoot. Raak, 1-1! De meiden van HC Sterrenhout renden op elkaar af en omhelsden elkaar.

'Super! Julia, top!'

'Mega! We kunnen gewoon winnen, meiden,' juichte coach

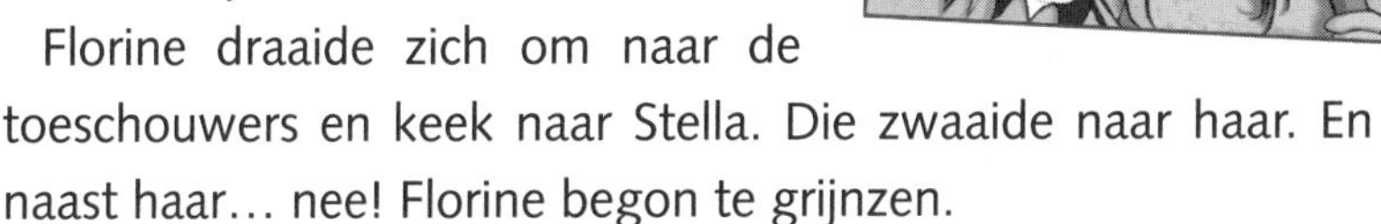

Simon vanaf de zijlijn en ook de ouders riepen van alles ter aanmoediging.

Florine omhelsde Julia even. 'Top!'

'Ja,' zei Julia en ze trok een kous op. 'Hé, dat is toch die Stella? Die man die bij haar staat...'

Florine draaide zich om naar de toeschouwers en keek naar Stella. Die zwaaide naar haar. En naast haar... nee! Florine begon te grijnzen.

'...die lijkt wel heel veel op die zanger, je weet wel, Jason Day,' vond Julia.

'Ja, daar lijkt hij inderdaad verdacht veel op,' grijnsde Florine. 'Maar dat is vast toeval!'

Het bleef 1-1 tot de rust.

'Het gaat erg goed, meiden. Ik ben onder de indruk. Jullie samenspel is prima vandaag, en Sofia, helemaal geweldig zoals je die bal tegenhield! Pleun, iets meer op rechts verdedigen en Emma, jij ruilt nu met Daisy.'

Julia dronk gulzig een slok water en nam een paar druiven van Eva aan. Heerlijk om weer op het veld te staan! Ooit zou ze net zo goed willen zijn als die Australische. En dan zou ze ook zo'n Jason Day-look-a-like naast zich hebben staan. Florine had verteld dat Stella het komende seizoen in het nationale team zou spelen. En nu ze Stella had ontmoet, zou het nog leuker zijn om dat soort wedstrijden te volgen op televisie.

'Juultje!'

Julia keek verbaasd op.

Haar moeder kwam aanlopen. 'Ik heb pauze. Dus kom ik lekker naar mijn dochter kijken! Ik hoorde al dat het 1-1 is. En dat jij gescoord hebt, wat goed van je!'

Julia lachte blij naar haar moeder. Wat fijn dat ze er eens bij was! 'Ja, het gaat echt supergoed. Blijf je de hele tweede helft?'

'Ja, natuurlijk. Daarna moet ik wel weer aan de slag. Ik vroeg me af of je me kon helpen vanmiddag. Je zou achter de snoepverkoop kunnen staan.'

'Ja, leuk,' zei Julia en ze deed haar bitje opnieuw in. De scheidsrechter floot en de beide teams renden weer het veld op.

De tweede helft was een stuk zwaarder. De meiden van Greenfields waren vastberaden om hun status van onverslaanbaar team vast te houden.

Julia keek even op de klok. Nog maar een paar minuten. Ze kreeg de bal toegespeeld en haalde uit.

'Shoot,' zei de scheidsrechter. 'Vrije bal voor Greenfields!'

Shit! Julia schold zichzelf uit en keek naar de speelster van Greenfields die de bal razendsnel wegspeelde naar haar teamgenoten. Ook voor Greenfields begon de tijd te dringen.

De aanvalsters van Greenfields joegen de bal naar het doel van Sterrenhout. Hun beste speelster, een meisje met kort donker haar, kreeg de bal voor haar stick en sloeg er hard tegenaan.

Julia hield haar adem in. De bal vloog over het veld, recht op het doel af en... raakte de paal.

'Yes!' riep Julia toen de bal terugkaatste en bij Pleun terechtkwam.

'Nog maar twee minuten!' riep Simon vanaf de zijkant.

Pleun sloeg de bal langs de speelster van Greenfields. Eva

onderschepte hem en sloeg hem nog verder richting het doel van Greenfields.

Julia kreeg de bal te pakken. Ze keek op. Vóór haar was een kleine opening. Als ze goed mikte, zou de bal zitten en zou zij voor de overwinning zorgen.

Maar de opening was klein.

Om haar heen werd geschreeuwd.

Ze keek naar voren. Zij zou misschien toch kunnen scoren. Het winnende doelpunt.

Ze keek over haar schouder en schoot de bal naar Florine. 'Flo! Schiet hem erin,' gilde ze.

Florine wankelde even toen ze de bal aannam. Ze had niet verwacht dat Juul hem door zou spelen – die hield het liefst alle ballen voor zichzelf.

De speelsters van Greenfields probeerden fanatiek positie te vinden.

Florine keek naar de bal. Haar tegenstandster deed een poging om hem af te pakken door tegen haar aan te duwen. Florine kon de bal net houden.

Opeens hoorde ze het geschreeuw van Stella achter zich. 'Je bent een boom! Denk eraan! Je bent een boom! Niemand krijgt jou omver!'

Florine grijnsde. Precies. Niemand kreeg haar, Florine van Senhoven, omver!

Ze haalde haar stick naar achteren en joeg de bal regelrecht het doel in.

16

'Dat was echt geweldig,' zei Simon voor de zoveelste keer.

De meiden zaten rond de tafel in de kantine en hadden allemaal een tosti van hem gekregen. De ouders zaten vrolijk kletsend aan de bar. Het team van Greenfields was al vertrokken.

'Als we altijd zo konden hockeyen, maakt niemand ons wat! Julia, geweldig zoals je die bal doorspeelde.'

Julia knikte blij. Ze keek even naar haar moeder, die achter de bar stond en het naar haar zin leek te hebben.

'En Florine... Helemaal goed! Je liet je niet afleiden en deed wat je moest doen. Maar wat was dat nou met die boom?'

Florine keek lachend naar haar coach. 'Ik ben een boom,' zei ze, 'met heel diepe wortels!'

'Eh ja... ik geloof niet dat ik het helemaal begrijp, maar hoe dan ook, het werkte wel. Nou meiden, dat was het. Vergeet niet dat je vandaag voor het laatst kunt stemmen op de Stick van de Maand, die maak ik volgende week bekend. En Julia, schrijf jij deze keer het wedstrijdverslag? Dan wens ik iedereen een prettig weekend toe!'

Florine en Julia bleven zitten, terwijl de rest van de meisjes hun sticktassen pakten en al pratend naar hun ouders of de fietsenstalling liepen.

'Ik ga straks mijn moeder helpen met de snoepverkoop, wil je mee?'

'Hey, Flo! Dat was echt geweldig.' Stella kwam naar de tafel gelopen.

'Ja, hè? Het was mega!' zei Florine blij en ze keek naar Jason, die achter Stella liep. Hij knipoogde naar haar. Jason Day knipoogde naar Florine van Senhoven!

Zo in het echt leek hij een stuk normaler en met zijn pet diep over zijn ogen getrokken was hij moeilijk te herkennen.

'Goh,' zei Julia nietsvermoedend, 'heeft iemand je wel eens verteld dat je op Jason Day lijkt? Niet helemaal natuurlijk, maar als je je ogen een beetje dichtknijpt, lijk je echt veel op hem!'

Florine en Stella barstten allebei in lachen uit.

'Wat?!' zei Julia verbaasd.

'Yeah, I get that a lot!' zei Jason en hij ging grinnikend aan de tafel zitten, naast de nu knalrode en stamelende Julia.

'Ik heb een cadeautje voor je,' zei Stella en ze pakte haar sticktas. 'Om je overwinning te vieren.' Ze ritste hem open en haalde er haar stick uit.

Ze gaf hem aan Florine.

'Wauw! Serieus? Voor mij?!' Florine sloeg haar armen om

Stella's nek. 'Dankjewel! Hij is super!' Ze bewonderde de stick – felgroen met in roze letters de naam van een merk erop dat niemand hier had! En ze zag dat Stella er iets op geschreven had.

Denk aan de boom! Love xxx, Stella

Florine lachte en keek op. Ze liet de stick aan Julia zien, die hem ook bewonderde.

'Dan heb ik nu een probleem...' zei Florine met een lachje. 'Want ik heb al een stick in mijn tas en twee sticks passen er niet in...' Ze bukte en pakte haar eigen stick. Hij was pas twee maanden oud, kunststof, van een of ander duur merk, uitgezocht door haar vader. Ze hield de stick voor Julia's neus. 'Dus als jij ruimte in jouw tas hebt...'

Julia's mondhoeken kwamen langzaam omhoog.

'Meen je dat? Krijg je daar geen problemen mee thuis?'

Florine haalde haar schouders op. 'Misschien. Maar ik denk dat ik al heel goed met de stick van Stella kan spelen, en anders liggen er nog wel oude sticks van Harry die ik kan gebruiken totdat ik hieraan toe ben.'

Julia nam de stick aan. 'Bedankt!'

Florine boog zich voorover naar Stella. 'En hoe komt hij nou hier?'

'Na alle commotie van de afgelopen week moest ik hem natuurlijk ook bellen. En hij had dit weekend vrij en moet maandag naar Londen voor een show, dus kon hij mooi hierheen komen. Morgen gaat hij weer door naar Londen. Hij logeert ook bij je ouders – ik heb hem vanochtend van Schiphol afgehaald. Niemand die hem herkende! Super hè?'

'Bij ons? Wauw!' Florine grijnsde.

Stella en Jason stonden op. 'En nu gaan we even lekker samen wandelen. Ik laat hem wat van de stad zien en Nederlands eten proeven; kroketten en zo!'

'Stroopwafels,' riep Julia.

'Poffertjes!' zei Florine.

Florine zat die avond achter de computer. In de andere kamer waren pap en mam in een geanimeerd gesprek met Jason gewikkeld. Stella stond in de keuken een salade te maken voor het avondeten.

Stick van de Maand.

Ze beet op haar lip. Eigenlijk, dacht ze, moest Julia dat maar zijn. Die had toch wel veel meegemaakt en was het ook nog nooit geweest.

En eigenlijk maakte het ook niet meer uit. Iederéén was goed geweest, zijzelf ook. Ze klikte op Julia's naam. Die had het het meest verdiend. Zo, ze had gestemd. Toen sloot ze af en ging weer naar de woonkamer, waar ze op de bank neerplofte naast Jason Day.

Van: simontenberghe@sterrenhout.nl
Aan: desterren@sterrenhout.nl
Onderwerp: Stick van de Maand

Hai meiden!

Erg goed gespeeld de laatste wedstrijd! Jullie beginnen steeds beter op elkaar ingespeeld te raken en echt als team te functioneren, super.
Zoals jullie weten, kon je weer stemmen op de Stick van de Maand. Nou, dat hebben jullie gedaan.
In plaats van één Stick hebben we er deze maand bij uitzondering twee. Beiden kregen evenveel stemmen.
En het zijn geworden: Tadaaaaa… trommelgeroffel…
Julia Smit en Florine van Senhoven!
Julia heeft de afgelopen wedstrijd laten zien dat ze kan samenspelen en de bal ook aan anderen kan afgeven, waardoor iedereen de kans krijgt om te scoren.
Florine heeft goede vorderingen gemaakt deze maand. Ze staat steviger in haar schoenen en weet een bal vaak precies de goede spin te geven om hem aan een ander door te kunnen spelen. Meiden: gefeliciteerd!
De volgende wedstrijd trakteer ik op milkshakes.
Fijn weekend allemaal en tot op de training.

Groet,
Simon

PS: Ik weet niet of jullie het ook gezien hebben, maar was dat nou die zanger, Jason Day, aan de zijlijn afgelopen wedstrijd???

Marlies Slegers is geboren in Nederland. Op haar achtste verhuisde ze met haar ouders van Nederland naar Indonesië. Na een verblijf van tien jaar in Indonesië, keerde Marlies op haar 18e naar Nederland terug. Omdat alles nieuw was en ze niet goed wist wat ze moest gaan studeren, koos ze commerciële economie. Nadat ze een paar jaar had gewerkt, deed Marlies mee met een schrijfwedstrijd van een tijdschrift. Een paar weken later werd in een ander tijdschrift ook een wedstrijd uitgeschreven. Beide wedstrijden won ze. In eerste instantie schreef ze alleen voor volwassenen. Sinds de geboorte van haar eerste kind in 1995 schrijft Marlies ook kinderverhalen.

Foto: Harry Donker

Boeken van Marlies Slegers:

- Ringtones, ouders en andere r@mpen
- Webcams, vriendjes en andere r@mpen
- Hockeyteam de Sterren